달빛 틈 사이 1

달빛 틈 사이

발 행 | 2024년 07월 30일
저 자 | 김강오, 문하선, 박해우, 이수민, 임서준, 최지희, 최희윤
(경기대학교 소모임 '글모이')
펴낸곳 | 주식회사 부크크
출판사등록 | 2014.07.15(제2014-16호)

ISBN | 979-11-410-9819-3

목차

1.

들어가는 글

소모임 '글모이'의 2기 활동을 통한 2번째 문집 활동입니다. 아무래도 1이라는 숫자에 가려져 지나치기 쉬운 숫자 중 하나가 2라고 생각합니다. 하지만 1이 출발과 최초라는 의미를 지니고 있다면 2에는 계속 이어나가겠다는 의지를 담고 있는 숫자라고 생각하기에 좋아합니다. 점을 찍는 것과 그 점을 그어 선으로 만드는 것이 다르니 말입니다. 이 책 또한 마찬가지입니다. 처음에는 한 글자에서 시작하여 단어와 문장을 이어 현재의 이야기로 만들었습니다. 어쩌면 모든 것들에게도 해당되는 말 같습니다. 선들이 이어져 그림을 만들어내듯 여러분께 이음을 주는 누군가 '2'가 있을 것입니다. 여러분은 책을 보았고 지금 읽고 있습니다. 이 책을 읽음으로써 여러분의 삶 속에 작지만 소중한 이음을 줄 수 있는 한 권으로 남았으면 좋겠습니다.

-글모이 2기 부회장 이수민

김 강 오

황금빛 가을

가을이 찾아왔음을 알아차리는 계기는 무엇일까. 황금으로 물든 나뭇잎? 무르익은 벼의 황금빛 물결? 옷장에서 꺼내는 먼지쌓인 가을 옷? 가을이 찾아왔음을 내게 알린 것은 거리에 흐르는 희미한 커피향이었다.

"……."

가로수가 늘어진 거리를 타고 불어온 바람 속에서, 향긋한 커피향이 코끝을 간지럽히는 것이 느껴진다. 그 그리우면서도 기분이 좋아지는 향수같은 커피 향에 취한 나는 걸음을 멈춘 채 생각하였다.

가을이다.

불어오는 바람이 후덥던 여름의 공기를 식히고, 과육을 탐스럽게 흔들며 다가올 겨울을 대비에 온 세상을 황금빛으로 물들이는 가을. 그런 가을이 찾아온 것이다.

언제 이렇게 만연하게 찾아온 것일까. 장대비와 함께 사라진 여름의 자리를 채우는 가을의 등장은 고요하면서도 무척이나 반가웠다. 그래서인지 다가오는 가을을 알아차리자, 문득 기분이 좋아졌다. 오래묵은 퀴퀴한 보물단지를 발견한 기분이었다. 답답하던 마음이 뻥 뚫리고 어릴적 아련한 추억이 새록새록 떠오르는 그런 기분이었다.

실로 오랜만에 떠오른 추억이었다. 지금은 빛바랬지만 내 인생에 강렬한 커피향을 남기고 간 오랜 추억 말이다.

***

8년 전의 가을이었을 것이다. 대학을 졸업하고 운좋게 취직에 성공했던 작은 마케팅 회사의 신입이던 시절. 사수와 함께 거래처 미팅을 위해 한 카페에 들렀던 적이 있었다.

꽤나 특색있는 카페였다. 템포라는 이름을 지닌 카페였는데, 도심 한복판에 위치한 무척이나 낡고 오래된 느낌의 카페였다.

"다시 한 번 말하는데, 긴장하지 말고 그냥 조용히만 있으세요. 아무말도 하지마요."

카페의 문을 열고 들어서자마자 사수는 긴장한 기색으로 내게 당부하였다. 나는 속으로 생각하였다.

긴장은 그가 한 것이 아닐까.

하지만 오는 길에 수십 번은 들었던 그 당부를 하는 사수의 표정이 어딘가 애절하고 또 간절해보여 나는 조용히 넘어가기로 했다. 그는 마치 물가에 내놓은 아이를 바라보는 시선으로 나를 바라보고 있었다. 입사한 지 얼마 되지도 않은 신입을 끼고 미팅을 진행한다는 사실이 불안한 모양이었다. 당시 혈기넘치는 신입이었던 나는 힘차게 대답했다.

"네!"

대답만큼은 잘했다.

"차라리 혼자 올 걸 그랬나……."

오히려 그 모습이 그를 더욱 불안하게 한 모양이었지만, 내가 어찌 할 도리는 없었다.

"어서오세요."

곧이어 구석진 조용한 곳에 자리를 잡자, 가게 주인이 다가와 메뉴판을 건네었다.

"감사합니다!"

긴장이 오른 사수를 대신하여 메뉴판을 받은 나는 낡은 책자로 이루어진 메뉴판을 펼쳤다. 세월을 머금은 종이를 넘기자 이탈리어로 이루어진 각양각색의 커피들이 즐비해 있었다. 그곳에 다른 메뉴는 없었다.

오직 커피 뿐이었다.

"음, 선배님. 여긴 커피밖에 없네요?"

"당연하죠. 커피 회사랑 미팅하는데 커피집을 오지 어디를 가겠어요."

"저 커피 진짜 못 마시는데 괜찮을까요? 커피의 쓴 맛을 도무지 견디지 못하겠어서 한 번 빼고 마신 적이 없어요."

내 말에 사수는 황당으로 긴장을 씻어냈는지, 더없이 멀끔하고 또렷한 목소리로 반문하였다.

"진심이에요?"

"……한 번 마셔볼게요."

마시지 않으면 죽이겠다는 사수의 뜨거운 진심이 느껴져, 메뉴판으로 고개를 돌린 나는 내가 마실만한 커피를 물색하였다.

"콜드 브루로 한 잔 주세요."

그나마 콜드 브루라는 것이 쓴 맛이 덜 할 것 같아 시켰다.
커피가 나오고 얼마 지나지 않아 거래처 측에서 카페에 도착하여,
미팅이 시작되었다.

"그 부분은……"
"제공해주신 자료에 따르면……"
"……."

사수의 당부대로 나는 한 마디도 하지 않았다. 그저 얌전히, 그리고 조용히 자리를 채울 뿐이었다. 내 앞에 놓인 커피에는 손을 대지 않아 나의 커피는 찬밥 신세였다. 커피잔에 담긴 얼음이 녹는

속도만큼이나, 시간은 천천히 흘렀다.

그렇게 한참을 아무것도 하지 않다보니 점차 무료함이 몰려왔다. 졸음이 쏟아지고 지루함이 나를 옭아매었다. 열정적으로 대화를 나누는 사수와 거래처의 대화도 어느샌가 이해하기 힘들었다. 그러면 안된다는 것을 알았지만 자연스레 시선은 허공을 향하고 나의 정신은 이곳을 떠나 자유롭게 부유하기 시작하였다.

동시에 주변이 고요해졌다. 먼저 커피를 볶는 기계의 소음이 침묵하고. 거래처와 피튀기는 토론을 펼치는 사수의 목소리가 침묵한다. 고요해진 세상 속에서 나는 멍하니 창 밖을 바라보았다.

'날씨 좋다.'

티는 내지 않았지만 창 밖으로 비추는 가을의 햇볕을 바라보는 나의 시선은 졸음으로 가득 차 있었다. 쏟아지는 수마에 눈꺼풀이 무거워지려는 찰나.

딸랑.

"──."

　조용히 흔들리는 종소리와 바깥 바람을 타고 퍼지는 진한 커피향이 나를 잠에서 깨웠다. 온갖 원두의 향이 뒤섞여있는 카페에서도 홀로 돋보일 정도로 진향 향이었다. 다만 그만큼 강렬하면서도 전혀 불편하지 않았다. 마치 가을날의 햇살처럼 포근함이 느껴지는 무게감이었다. 그 아득하게 강렬한 향에 늘어지던 정신이 순식간에 팽팽해지고 등골이 오싹해지는 기분과 함께 머리가 서늘해졌다. 진하고 쓴맛이 담겨있는 커피향은 찬물을 부은 것마냥 정신을 또렷하게 하였다.

　나는 천천히 나를 깨운 것을 향해 시선을 옮겼다. 그곳에는 한 여인이 카페에 들어서고 있었다. 아름다운 것은 아니었다. 못난 것도 아니었지만 또 시선을 끌 만큼 아름다운 얼굴은 분명 아니었다. 하지만 묘하게 시선이 끌렸다.

　향 때문일까?

　나는 홀린 듯이 여인을 바라보았다.

'젊다.'

멀리서 본 여인의 얼굴은 이제 막 고등학생 티를 벗기 시작한 청춘의 얼굴이었다.

아마 대학생이지 않을까.

그런 생각이 들었다. 그녀에게서는 멀리 떨어져있었지만 마치 곁에 있는 것처럼 진향 커피향이 느껴졌다. 좋아하는 향이라고 할 수는 없지만 인상적인 향임은 틀림없었다. 커피향으로 가득한 카페에서도 흐려지지 않는 커피향이었다. 그래서인지 눈을 뗄 수 없었다.

누굴까.

도대체 누구이길래, 어떤 사람이길래 이렇게 눈길을 끄는 것일까.

호기심이 몰아치고 열망이 타올랐다. 그런 내 감정은 속으로만 들끓는 것이 아닌 듯 하였다.

"저기, 괜찮으신가요?"

맞은편에 앉아있던 거래처 측에서 이상하게 나를 쳐다보며 말을 걸었다. 아무런 말도 없던 사람이 갑자기 미친놈처럼 이상한 모습을 보이자 놀란 듯 보였다. 그와 동시에 나는 홀려있던 정신이 돌아오는 것을 느꼈다. 비강을 가득 메웠던 커피향이 흩어졌다.

'내가 잠깐 미쳤나? 왜 그랬지?'

졸려서였을까?
지루해서였을까?
아니면 외로워서였을까.
내가 왜 그랬는지는 도무지 이해할 수 없었지만 한 가지 사실만큼은 확실히 알 수 있었다. 옆에 앉은 사수가 나를 죽일듯이 노려보고 있다는 사실.

'넌 죽었어.'

시선을 옮기자 사수가 입모양으로 소리없는 사형선고를 내리는 것이 보였다.

"……."

난 죽었구나. 사수에게 엄청나게 닦이는 미래가 머릿속에 그려졌
다.

"괜찮으신가요."

그 사이, 거래처측에서 내 상태가 걱정되었는지 다시 한 번 물어
왔다. 나는 몽롱한 정신을 깨우기 위해 관자놀이를 짚으며 답하였
다.

"죄송합니다. 잠시 집중하지 못한 것 같습니다."
"네, 그럼 다시 진행하도록 하죠. 저희측에서 이번 신제품에서 강
조하고 싶은 점은……"

다행히 상대측은 일개 신입인 나의 무례에 대해 그리 신경쓰지 않

는 듯 하였다.

 어쩌면 살벌한 사수의 시선을 의식한걸지도.

 "……."

 다시금 시작된 미팅을 뒤로하고, 나는 나의 시선을 빼았았던 여인
을 바라보았다. 자리에 앉은 그녀는 익숙한 듯 커피를 주문하고 있
었다.

 여전히 그녀의 얼굴은 젊고 모난 곳이 없었지만, 방금 전만큼 시
선을 끌지는 않았다. 향 또한 느껴지지 않았다. 나는 그저 피로 탓
에 내가 착각했노라 생각하고 관심을 지웠다.

 "……그럼 이대로 진행하는 것으로 하고 마무리 짓죠. 정리하신
내용은 팩스로 보내주세요."

 "예, 수고하셨습니다. 조심히 들어가세요."

 "수고하셨습니다."

 "네, 먼저 들어가보겠습니다."

딸랑.

길었던 미팅이 끝나고, 다음 일정이 있는 것인지 거래처 측은 급히 자리를 떠났다. 똥 묻은 개를 피하듯 자리를 피하는 그들의 신속함에 나는, 그들이 증오어린 사수의 시선 때문에 급히 자리를 떠난 것이 아닌가하는 생각이 들었다.

"······하아."

그리고 당연하게도, 거래처 측이 떠나자마자 짙은 한숨을 내쉰 사수는 나를 향해 날선 한마디를 내뱉었다.

"정신 안차려요?"

그 한마디를 시작으로 장장 30여분 동안이나 나는 온갖 욕을 들어야 했다. 어떻게 회사에 들어온 것인지에 대한 의문부터 시작하여 나의 지능 수준까지 의심하던 사수는 끝끝내 자신의 과거를 언급하며 이리 말하기도 하였다.

"나때는 미팅 중에 딴 짓은 상상도 못했어요. 아니 애시당초 입사하고 1년은 커피나르고 복사하는게 일이었다니까요?"

나는 그가 주도적으로 미팅을 진행한 것이 이번이 처음임을 알고 있었다. 그는 내 실수를 기회삼아 처음으로 주도한 거래에서 쌓인 스트레스를 나에게 터트리는 것 같았다. 하지만 나는 내 실수가 무척이나 무례하고 위험한 것임을 알고 있었기에 군말 없이 그의 구박을 받아내었다. 자칫 잘못했으면 미팅이 엎어졌을지도 몰랐다.

다행히도 담배 세 대를 연달아 태운 사수는 니코틴의 힘에 빌려 진정했는지 다시금 짙은 한숨을 내쉬며 말했다.

"그래도 미팅은 무사히 끝났으니 여기까지 할게요. 부장님께서 끝나면 회사로 복귀하지 말고 퇴근하라 했으니까 남은 커피를 마시던 집에 가서 쉬던지 하세요."

"네, 죄송합니다……."

사수는 그대로 짐을 챙겨 떠났다. 미팅 내용을 정리하기 위해 회사로 복귀하는 듯 하였다. 그렇게 거래처도, 사수도 떠나 텅 비어버린 테이블에 홀로 남은 나는 가슴에 새겨진 상처에 살짝 눈시울을 붉히며 눈물을 훔쳐내었다. 물론 묻어나오는 눈물은 없었지만, 사수의 심한 말에 조금 상처입은 것은 사실이었다.

"아, 커피."

한껏 자리에 앉아 궁상을 떨고나니 테이블 위에 올려진 나의 커피가 떠올랐다. 손도 대지 않은 콜드 브루는 처음 받았을때보다 양이 많아져 있었다. 얼음이 녹아서일까. 한 잔에 5400원이나 하는 콜드 브루가 손 하나 대지 않은 채 버려지는 것이 아까웠기에, 나는 조금, 아주 조금 잔을 기울여 홀짝여보았다.

"음, 맛없어."

밍밍한 커피는 맛이 없었다. 온 몸에 소름이 돋게하고 오장육부가 뒤틀리게 하는 쓴 맛은 그대로고 딱히 향이 느껴지지도 않았다. 미지근하고, 쌉쌀한 무향의 커피는 역시나 최악이었다.

얼굴을 찌푸린 나는 잔을 내려놓았다. 내려놓는 투명한 유리잔 너머로 누군가 나를 바라보고 있는 것이 보였다.

"……."

내 시선과 정신을 훔쳐갔던 여인이었다. 그녀는 한 손에 커피를 든 채, 나를 살며시 바라보고 있었다.

처음 느꼈던 진한 커피향은 더이상 느껴지지 않았다. 하지만 기억 속에 남은 잔향만큼은 또렷하였다. 그래서인지 조금 뻘쭘하여 시선을 피한 나는 곧장 자리를 떴다.

조금은 어색하고, 또 강렬했던 그녀와의 첫 만남은 그렇게 밍밍한 커피처럼 싱겁게 끝이 났다.

***

다시 그녀와 만났던 것은 그로부터 며칠 뒤였다. 똑같은 카페, 똑같은 시간, 똑같은 장소에서 나는 여인을 다시 만날 수 있었다.

커피를 싫어하는 내가 카페에서 그녀와 만난 것은 조금 웃긴 우연이었다. 일전에 미팅에서 있었던 일을 사수가 보고하였고, 부장님은 이를 듣자마자 이렇게 말하며 나를 카페로 보낸 덕분이었다.

"커피 회사의 외주를 맡은 직원이 커피 맛을 몰라서야 쓰겠어! 당장 가서 커피 맛부터 배우고 와!"

그 말과 함께 나는 반강제적으로 쫓겨났다. 커피 회사와의 거래와 커피의 맛이 무슨 상관 관계가 있는지 알 수 없었지만 신입이었던 나는 부장님의 말을 거역할 수가 없었다. 쫓겨나는 나를 바라보던 부장님의 표정이 어딘가 장난스럽게 즐거워보이던 것은 착각이었을까?

어찌되었든, 일전에 들렀던 카페를 다시 찾아갔다. 카페는 참 한산하였다. 늦은 점심 시간대는 직장인에게 점심시간 끝자락이었고, 학생들에게는 학교에 갇혀있을 시간인 탓일까. 가게에는 오직 한가해 보이는 할 일 없는 백수 몇 명과, 가게 중앙에 있는 바 형식의 테이블에 앉은 여인 뿐이었다.

나는 여인의 옆옆자리에 자리를 잡았다. 별다른 이유는 없었고 그곳의 햇살이 가장 좋아보였다. 자리에 앉자마자 진한 커피향이 느껴졌다. 옆자리에서 흘러나오는 커피향은 어딘가 산뜻하고 따뜻한 젊음이 느껴지는 그런 포근한 향이었다. 코를 찌르는 강렬한 향기가 아닌 은은한 봄과도 같은 향이기도 했다. 처음 그녀에게서 느꼈던 것과 똑같은 향기가 코 끝을 살랑살랑 간지럽혔다.

"몇일 전에 봤던 것 같은데, 혹시 커피를 좋아하십니까?"

그 향에 빠져있는 사이, 카페의 주인이 다가와 말을 걸었다. 그는 회백색 머리카락을 단정하게 내린 노년의 남성이었다. 정장을 차려입은 그의 손짓에서는 우아함이 느껴지고 여유가 흐르고 있었다.

"아뇨. 쓴 맛을 안좋아해서요."

"산미를 싫어하시는겁니까?"

산미가 무슨 맛인지 몰라 대충 답하였다.

"그냥 감기약처럼 쓴 거를 잘 못 먹습니다."
"그럼 카페모카는 어떻습니까. 달달한 커피는 또 다르지 않겠습니까?"
"그걸로 주세요."

잠시 고민하던 나는 결국 그의 제안을 받아들였다. 연륜이 느껴지는 저 주름에 담긴 강한 추천에서, 믿음이 느껴진 덕분이다.

"카페모카 나왔습니다."

그가 내온 카페모카는 다른 커피들과 확실히 달랐다. 시커먼 구정물 혹은 사약처럼 보이던 여타 커피들과 달리, 초코라떼와 비슷한 색감이었다.

그래서인지 부담감이 확실히 덜했다. 하지만 커피에 대한 거부감이 내게 시음을 꺼리게 만들고 있었다. 보고서까지 쓰라던 부장님의 집착만 아니었다면, 마시지 않았을 것이다.

'망할 부장님.'

속으로 눈물을 삼킨 나는 커피잔을 들어올렸다. 그리고 사형을 앞에 둔 죄수마냥 긴장되는 표정으로 한 모금 홀짝였다. 뜨거운 김을 내뿜는 부드럽고 진한 커피가 혀에 닿았다.

'오?'

카페모카의 첫인상은 달았다.
첫인상만 달았다.
달달함에 감탄하여 탄성을 내뱉으려던 순간, 달달함 속에 숨어있던 악마같은 녀석이 튀어나와 내 혀를 유린하였다.
쓴맛이었다. 식도가 오그라드는 쓴맛은 아니었지만 혀가 마비되고 미간이 쪼그라드는 다크초콜릿같은 쓴맛이었다.

"손님 입맛에는 맞지 않으십니까?"

절로 망가진 내 표정을 본 가게 주인이 가벼운 미소를 띠며 물었다. 나는 대답하는 대신, 혀에 남은 텁텁함과 쓴맛의 잔재를 핥으며 주변을 둘러보았다. 이제보니 옆옆자리에 앉은 여인이 가게 주인과 같은 미소를 지으며 나를 바라보고 있었다.

커피의 쓴맛 하나 견디지 못하는 26살 재밌게 보이는 것일까. 잠시 부정적인 생각이 들었지만 나는 그것을 금방 부정하였다.

그런 뜻은 아닌 것 같았다. 이상하게도 그녀의 미소가 불쾌하게 느껴지지 않았다. 포근한 여유가 흐르는 카페의 분위기 때문일까. 가을의 터질듯한 풍만함이 주는 너그러움 때문일까.

기이한 충동이 느껴졌다. 변덕에 휩싸인 나는 그 미소를 응원삼아 한모금, 커피를 마셨다. 이번에는 달지 않았다. 쓰지도 않았다. 입 안에 남아있던 쓴맛이 단맛을 중화하고, 퍼지는 단맛이 쓴맛을 감싸 안고 있었다. 조화가 일어나며 남은 것은 입 안을 가득 채우는 따뜻함이었다.

"……나쁘지 않네요."

오묘한 표정을 지으며 중얼거렸다. 아직 변덕이 내게 쥐여준 맛을 이해할 수는 없었다. 그저 쓴 맛이 덜해졌을 뿐이었다. 하지만 어딘가 다른 것이 어렴풋이 느껴졌다. 향이었다.

그 날 나는 반 잔의 카페모카를 마셨다.

***

"보고서."

회사에 출근하자마자 부장님이 나를 향해 말하였다.

'장난이 아니었구나.'

다행히도 혹시몰라 준비했던 보고서는 꺼낸 나는 곧바로 부장님에게 건네었다.

"흠흠흠. 흐음~. 흠, 흠!"

이상한 콧노래를 흥얼거리는 부장님 앞에 선 나는 긴장한 기색으로 그의 답을 기다렸다.

"다시."

돌아온 답은 생각보다 짧고 간결했다. 부장님은 보고서를 책상 위로 던지며 말하였다.

"스테이플러가 안찍혀있네. 새로운 걸로 내일 다시 가져와."
"……네."

부장님은 웃고 있었다. 그 장난어린 표정은 40대 중반의 것이라기엔 지나치게 활발했다. 그 웃음을 보고있자니 처음 부장님을 보았던 때가 생각이 났다.

　기억 속 부장님은 이렇게 말하고 있었다.

　"크흠, 질문 하나 하겠습니다."

　부장님을 처음 보았던 곳은 면접 자리였었다. 대학을 졸업하고 이곳저곳 이력서를 찔러넣던 시기에 운좋게 찾아온 한 마케팅 회사의 면접. 세 명의 면접관 중 하나였던 부장님은 면접이 끝나기 직전 이런 질문을 던졌었다.

　"만약 당신에게 1억의 현금이 생긴다면 어떻게 사용하겠습니까?"

　그런 요상한 질문을 던지는 그의 얼굴은 감출 수 없는 즐거움이 드러나있었다. 마치 무료한 반복 속에서 장난감을 찾은 어린아이의 천진난만한 표정이 담긴 미소였다.

"어…… 일, 1억 말씀이십니까?"

물론 그 질문을 받는 당사자였던 나는 웃을 수 없었다. 직전에 먹었던 청심환이 무력하게도 덜덜 떨며 반문했다.

지금와서 생각해보면 정말 멍청한 모습이었을 것이라 자부한다. 안그래도 시종일관 횡설수설하고 사시나무처럼 떠는 전형적인 사회 초년생이었는데 말까지 절었으니 차마 두 눈으로 보기 힘든 꼴불견이었을 것이다.

"예, 1억. 1억이 생기면 무엇을 먼저 할겁니까?"

다만 역으로 그런 꼴불견이었기에 이런 대답을 할 수 있었다.

"음…… 컴퓨터를…… 바꾸고 싶습니다. 해보고싶은 게, 게임이 있는데 사양이 너무 높아서 그…… 아직 해보지를 못했기 때문입니다."

컴퓨터! 컴퓨터라니!

꼴불견인 모습에 지독하게도 어울리는 답변이었다.

"컴퓨터……. 요즘 젊은층들 사이에서는 그게 유행인가 봅니다."

피식.

아니나다를까 면접관들이 비웃는 것이 느껴졌다. 홍당무처럼 달아

오른 얼굴이 화끈거리고 시선은 지적을 받은 아이마냥 땅에 박혔

다. 나는 끝까지 고개를 들지 못하였었고, 그 질문 이후에는 기억이

나지 않았다.

그저 면접이 끝난 후, 방에 틀어박혀 망쳐버린 면접을 복기하며

하루종일 울었던 것 같았다.

"……."

불현듯 떠오른 기억을 반추하다보니 순간 의문이 들었다. 나는 어

떻게 합격한 것일까? 그 면접이 있던 이후 일주일 후 한 통의 합

격 문자를 받았었다. 그렇게나 면접을 망쳤던 내가 어떻게 붙은 것일까? 언젠가 화장실 칸에서 스쳐지나가듯 들었던 이야기가 떠오른다.

대충 부장님의 강력 추천으로 채용된 신입이 있다는 이야기였다. 나에 대한 이야기 같았다. 그렇다면 부장님은 나를 왜 뽑은 거였을까.

"부장님."

나는 그때와 같은 미소를 짓고있는 부장님을 나지막히 불렀다. 부장님은 표정 하나 변하지 않고 나를 바라보았다. 그때와 같은 미소, 그때와는 다른 관계. 충동을 따라 질문을 던졌다.

"저, 도대체 어떻게 뽑힌건가요?"

내 두서없고 갑자스런 질문에 부장님은 살짝 당황한 듯 보였다. 그의 연한 눈썹이 올라가고 숱이 적은 앞머리 사이로 주름이 깊어졌다. 하지만 이내 질문의 요지를 이해했는지 부장님은 미소를 되찾았다. 마치 이제서야 묻냐고 말하는 것 같은 미소였다.

"아, 면접 말야? 자네도 왜 뽑힌건지 이해가 안되지? 나도 그래."

미소와 함께 돌아온 부장님의 답변은 선뜻 이해하기 어려웠다. 그 또한 그러한 사실을 알았는지 말을 덧붙였다.

"자격증은 적어, 실무 경험은 하나도 없어, 경력이 있는 것도 아니고 대학도 변변찮지. 스펙에서부터 사실 꽝에 가까웠어."
"……."
"거기에 면접은 어땠더라. 끔찍했지? 벌벌 떨고 말도 더듬고 대답도 정리가 안되고 말이야."

한마디, 한마디가 무거운 망치처럼 나를 후려갈겼다. 알고있던 사실이었지만 그것을 타인의 입으로 다시 듣는 것은 무척이나 부끄럽고 괴로운 일이었다.

"최악은 뭐였더라. 내가 다른 건 몰라도 그 대답은 진짜 평생토록 못 잊겠더라. 1억으로 뭐하겠냐니까 컴퓨터? 얼씨구. 그때 솔직히 대놓고 비웃었지. 어린 친구라고."

기억 속 비웃음은 부장님의 것이었나보다. 나는 얼굴이 붉어지는 것을 느꼈다. 충동에 따라 생각없이 질문을 던진 것이 후회되었다.

"치기어리고 사회생활을 모르는 어린 친구. 그게 내 평가였어."

쌉쓸함이 혀를 감돌았다. 미간을 찌푸리게 하던 커피의 쌉슬함이었다. 지독한 과거의 쓴 맛이 혀 위를 굴러다녔다. 마치 그날처럼, 나의 고개가 바닥으로 떨어졌다.

"근데 말이야."

그런 나를 끌어올린 것은 부장님의 한 마디였다.

"그 뒤에 답변을 듣고나서 내 생각을 고쳐야했지."

그의 말이 숙여졌던 나의 고개를 들어올렸다. 나는 그 답변이 무엇인지 모른다. 아니, 애초에 질문이 있었는지조차 모른다.

"면접 끝나고 뭐할거냐 물어보니까 이렇게 답하더라고."

하지만 부장님은 그때의 기억이 눈 앞에 펼쳐져있기라도 한지, 아련한 표정으로 허공을 바라보고 있었다. 나는 그가 바라보는 허공을 바라보았다. 아무것도 보이지 않는다. 흰색 도배지가 발린 시멘트 벽일 뿐이다.

그런데.

"울면서 복기하겠습니다. 뭘 잘못했는지, 뭘 실수했는지."

그가 따라하는 누군가의 답변을 듣다보면, 한가지 흐릿한 기억이 떠올랐다. 아무것도 존재하지 않던 시멘트 벽 위로 기억이 그려진다. 기억 속에는 이렇게 답하는 내가 앉아있었다.

"……어떻게 해야는지 복기하겠습니다. 그리고 언젠가 다시 이곳에 서고 싶습니다."

물기어린 그때의 답변을 입에 담자, 혀를 맴돌던 쓴맛이 옅어졌다.
단맛이다.
쓴맛을 뒤덮는 달달함. 흐릿하지만 강렬한 단맛이 입안에 맴돌던 쓴맛을 뒤덮고 있었다.

"그래! 그 말이 참 인상적이더라고. 독기와 진심이 느껴진다랄까? 그래서 바로 평가서에 썼던 멘트를 고쳤지."

부장님은 강렬한 감탄을 하듯 책상을 탁치며 말을 이었다.

"어리지만 자신이 어리다는 것을 아는 젊은이."

카페모카에서 느껴졌던 오묘한 맛이 입가에 맴돌았다.

"가르쳐보고 싶은 젊은이."

더이상 부장님의 말이 들리지 않았다.

"……."

나는 그가 내던진 나의 보고서를 바라보았다. 스테이플러가 찍히지 않아 첫장과 끝장이 섞여 어지러이 펼쳐진 보고서.
아무래도 그 끝장에 추가해야할 내용이 생긴 것 같다.

***

그 후로 나의 일상은 퇴근 후 카페에 들러 보고서를 작성하는 것이 되었다. 그 때마다 나의 곁에는 항상 카페모카 한 잔이 놓여져

있었다.

"오늘도 그 보고서 작성합니까?"

집중하여 보고서를 쓰다보면 어느새 다가온 가게 주인이 내게 말을 건다. 매일같이 카페에 들르다보니 그와도 안면을 튼 사이가 되었다.

"아, 예. 그렇죠. 아마 오늘도 쓰고 내일도 쓰고 계속 쓰지 않을까요."

집중하여 작성하던 보고서를 뒤로하고, 카페모카 한 모금을 입에 담았다. 따뜻한 카페모카가 식도를 타고 넘어간다. 더이상 카페모카의 맛이 부담스럽지 않았다. 쌉쌀함과 달달함이 섞인 오묘한 맛이 익숙해진 것이다. 물론 아직 다른 커피들은 익숙하지 않았기에 마시는 것은 카페모카로 고정되어있다.

"몇 주째 젊은 사람이 참 부지런하십니다."

그 모습을 본 가게 주인은 인자한 웃음과 함께 대단하다는 듯이 말하였다.

"저는요? 저도 부지런하지 않나요?"

그와 대화를 나누다보면 끼어드는 이가 있었다.

"김양도 부지런합니다. 오늘은 뭘로 마실겁니까?"
"케냐AA, 리스트레토로 하나 주세요."

이름은 모른다. 가게 주인이 그녀를 김양이라 부르기에 나 또한 김양이라 부를 뿐이다.

"오랜만이에요. 아저씨."

가게 주인이 커피를 내리러 간 사이, 옆자리에 앉은 김양은 구겨진 롱치마를 정리하며 내게 인사를 건네었다.

"안녕하세요."

나는 인사를 받으며 그녀의 얼굴을 보았다. 김양의 얼굴은 청춘이 느껴지는 파릇파릇한 청년의 얼굴이었다. 그녀에게서 흐르는 진한 커피향과는 어울리지 않는, 앳된 티가 벗겨지지 않은 순수한 대학생 같은 얼굴. 그것은 처음 이곳에 왔던 날 보았던 여인의 얼굴이었다.

"오늘도 카페모카네요? 안질려요?"
"다른거는 써서 못 마시겠어요."
"그렇구나~."
"기다리신 리스트레토 나왔습니다."
"와아!"

그래서인지 가게 주인이 내온 커피 한 잔에 기뻐하는 김양의 모습을 보다보면 의문이 들곤한다. 그때 내가 보았던 여인과 김양이 정말로 동일인물이 맞을까? 홍조를 띄운채 핸드폰으로 연신 커피 사진을 찍는 저 어린 학생이 그때 그 여인이 맞을까하는 의문이다.

딸깍.

하지만 이내 그런 의문을 부정하듯 커피향이 진해진다. 작은 커피 잔을 들어올리는 김양의 시선은 더없이 깊다. 입가의 호선은 그대로지만, 웃음이 사라진다. 연한 감빛이 맴도는 그녀의 동공은 고요해지고, 또 가라앉는다. 나이가 든다. 젊음은 성숙해지고 청년은 여인이 되었다. 학생은 어느샌가 어른이 되어있었다.

　마치 마법같다. 나는 홀린듯이 기묘한 마법이 만들어낸 광경을 음미하였다. 진향 커피향이 느껴진다. 무겁고, 강렬한 세월의 향이다.

"아저씨."

마법은 오래가지 않았다. 커피잔을 내려놓은 여인의 말 한마디에 마치 최면에서 깨어나는 것처럼 마법은 끝이 난다. 살짝의 아쉬움이 혀끝에 남고 여인은 다시금 학생이 되어 나를 바라보았다.

"맨날 똑같은 것만 먹다보면 질리지 않아요? 이거 마셔볼래요?"

장난스럽게 시커먼 사약을 건네는 김양의 제안은 더없이 무서웠다.

"아뇨, 절대 안마실래요."
"쳇, 아쉽다."

작게 혀를 찬 그녀는 아쉬움을 토로하며 턱을 괴었다. 그 후로 우리 둘 사이에 대화는 없었다. 나는 노트북 자판을 타닥이고, 김양은 내내 어딘가 어두운 눈빛으로 허공을 바라보며 커피를 마실 뿐이었다. 티는 나지 않았지만 무언가 깊은 고민을 떠안고 있는 듯한 표정이었다. 그 고민을 물어보지는 않았다.

그정도 관계는 아니었기에.

나는 그 날 두 잔의 카페모카를 마시고 집으로 돌아갔다.

***

다음날. 나는 평소와 같이 퇴근 후 카페를 찾았다. 사실 이제는 부장님께 제출할 보고서를 쓰기 위해 간다고 보기 어려웠다. 진작에 부장님에게 제출할 보고서는 끝낸지 오래였고 내가 지금 쓰는 것은 조금 다른 보고서였다. 일기이자 반성문이자 나의 회고록을 쓰고 있었다.

그 날, 나의 면접과 관련된 후일담을 들은 이후로 나는 조금 변한 것 같았다. 어리다는 부장님의 평가를 받아들이게 되자 나의 행동을 반추하게 되었고 나의 태도를 의식하게 되었다. 실수를 기억하고 사죄는 확실히 하였다. 미팅에서 잠시 집중하지 못했던 것을 반성하고 사수에게 사과하는 식으로 말이다. 그리고 이를 토대로 나는 회고록 비스무리한 것을 보고서의 형태로 적고 있다.

"……오늘치 끝."

커피잔이 바닥을 드리울 때 쯤이면, 보고서의 작성은 끝이 난다. 그와 동시에 간질간질한 무언가가 심장을 두드리는 느낌이 들곤 한다. 아직은 이 느낌이 무엇인지 알 수 없었다. 확실한 것은, 조금씩 내가 변해간다는 것이었다.

나는 조용히 해가 저문 창밖을 바라보았다. 만월이 다가오는 달빛이 내리쬐는 창밖은 벌써 어두컴컴하였다. 여름의 시간이 사라져가는 듯 하였다.

"오늘 김양은 안오나 봅니다."

어느샌가 다가온 가게 주인이 내게 쿠키 하나를 건네며 말을 붙였다. 쿠키를 받아든 나는 한입 베어물며 답했다.

"예, 그런가보네요."

그 날 김양은 카페에 오지 않았다.

***

그로부터 일주일이란 시간이 지났다. 여전히 김양은 카페에 코빼기도 비추지 않은 상태였다. 가게 주인은 갑작스레 자취를 감춘 손님이 그리웠는지 내게 말을 붙이는 일이 많아졌다. 그런 그의 모습은 손녀를 오랫동안 보지 못한 할아버지를 닮아있었다. 그가 김양을 그리워할 때마다, 나는 이렇게 말하곤 했다.

"학생이고 바쁘지 않겠습니까. 친구라도 만나나보죠."

그리 말하는 나였지만 어쩐지 찜찜함이 가시지 않았다. 마지막 순간 보았던 고민어린 눈동자가 뇌리에 박혀 사라지지 않았다.
어떠한 사연이 있는 것은 아닐까?
하지만 나는 이미 김양의 사연을 묻지 않기로 선택하였다. 나와 그녀의 관계 사이에는 두터운 선이 하나 세워져있다. 누구 하나 넘을 생각하지 않는 선. 그렇기에 내가 할 수 있는 것은 그저 기다리는 것이다.

"손님도 꽤나 변했군요. 입맛도 그렇고, 성격도 그렇고."

그런 내 모습을 본 가게 주인이 한마디 하곤 했다. 나는 그의 말에 나지막히 답하였다.

"익숙해지나보죠."

나는 내가 변했다는 것을 인정하였다. 커피가, 부장님이, 김양이, 가게 주인이, 가을의 시간이 나를 바꾸고 있었다. 그것은 긍정적인 방향일까? 아니면 부정적인 방향일까. 한가지 확실한 것은 김양의 부재가 어딘가 우리를 쓸쓸하게 만들었다는 것이다.

달달한 카페모카와는 어울리지 않는 기분이었다. 나는 그 날 카페모카를 마시지 않았다. 그 날은 쓸쓸함을 달래기 위해 반 잔의 콜드 브루를 마셨으며. 김양이 늘 마시던 커피를 빈 옆자리 위에 올려놓았을 뿐이다.

콜드 브루는 쓰지 않았다.

***

이제 여름의 공기가 완전히 사라졌다. 그 빈자리를 가을의 선선한 바람이 메우고, 저녁이 되면 쌀쌀한 공기를 견디지 못하고 사람들은 하나둘씩 겉옷을 껴입기 시작하였다. 그와 대조적으로 겉옷을 벗기 시작하는 이가 있었으니. 그것들은 황금빛으로 물든 나무들이었다.

여름 내내 걸치던 푸르른 겉옷을 황금빛으로 염색시켜 벗기 시작하는 가로수들이 길거리에 일정한 간격으로 늘어져있었다. 이런 날에는 조심해야하는 것이 있다.

"푸엣취!"

바로 감기이다.

"감기야?"

"죄송합니다. 감기에 걸린 것 같습니다."

코맹맹이 소리를 내며 부장님의 질문에 답하였다. 그리 말하는 나의 책상 위에는 이미 다쓴 휴지곽이 한 통 놓여져있었다.

"요즘 감기가 유행이니까 다들 조심하라고."

"네."

"괜찮은 것 맞지?"

"퇴근하고 병원에 가, 푸흙!"

탕!

"……그냥 반차 쓰고 병원을 가! 옮을까봐 내가 다 무섭다!"

한심과 우려, 그리고 약간의 걱정이 섞인 고함이 사무실 내에 울려퍼졌다.

"어후! 당장 짐싸서 나가! 어어? 가까이 오지는 말고! 서류는 됐으니까 그냥 가 이자식아!"

피식.

책상을 탕탕 두드리며 열을 내는 부장님의 행동에 모두가 드러내지는 않았지만 굳었던 얼굴을 피고 실소를 입에 담았다. 사무실을 메우던 가을의 차가운 공기가 순식간에 훈훈해졌다. 티내지 않는 그의 투박한 배려가 삭막한 공간을 뎁히고 있었다.

"먼저 가보겠습니다."

나는 그길로 회사를 나와 근처 병원으로 향하였다. 이 시간대에 회사 밖으로 나오는 것은 처음이었다. 때문에 거리는 한산하였고 햇살을 따스하였다. 어딘가 좋은 향도 느껴지는 듯 하였다. 회사 근처에 4층짜리 거대한 종합병원이 있어 나는 그곳에 가기로 하였다. 15분 정도 걷자, 병원에 도착할 수 있었다.

그리고 진료를 위해 엘리베이터를 기다리던 때였다.

"아저씨?"

콧물에 젖은 마스크를 갈아끼우던 찰나, 누군가 나를 부르는 것이 들렸다. 고개를 돌려보니 환자복을 입은 김양이 당황을 감추지 못한 채 서있었다.

"오랜만입니다."

내심 반가웠던 마음을 감추고 무덤덤하게 인사를 건네었다. 내 인사에 그제서야 정신이 들었는지, 김양은 익살스러운 표정을 지으며 말하였다.

"엑, 여긴 무슨 일이에요? 설마 병문안? 어떻게 알고 왔대. 아저씨 혹시 스토커예요?"
"병문안 아니에요. 감기 때문입니다."
"그쵸, 그렇겠죠. 깜짝 놀랐네 후."

"김양은 무슨 일입니까?"

"저, 저요? 아~ 아저씨 드디어 제가 궁금해요? 막 안보이니까 미칠 것 같았죠? 사실은요~ 교통사고를 당했어요. 그래서 이꼴이에요. 흑흑, 아니 신호 건너는데 갑자기 오토바이가 신호를 무시하고 저를 치고 가버리지 뭐에요……"

오랜만에 만난 김양은 뭐랄까, 참 시끄러웠다. 평소 내가 봐왔던 김양의 이미지와는 너무나도 달랐다. 김양은 수다스럽기는 했지만, 경박스럽지는 않았다. 자주 웃음을 짓기는 했지만, 입이 찢어져라 웃지는 않았다.

그래서 이상한 직감이 들었다.

"뭐 하나만 물어봐도 될까요?"

어쩌면 이것이 그녀의 본모습일 수도 있었다. 나는 김양의 단편적인 모습만을 알고 있기에 나의 직감이 잘못된 것일수도 있었다. 하지만 그러기엔 내 직감이 틀린 것 같다는 생각이 들지 않았다.

"왜 거짓말합니까?"

띵.

엘리베이터가 도착하고 문이 열렸다. 다만 그 안에 타는 이는 아무도 없었다. 정적이 흐른다. 웃음은 사라지고 가을의 차가운 공기만이 병원 복도에 흐를 뿐이었다.

소독약 냄새가 난다. 평소 김양에게서 느껴지는 커피향은 온데간데 없이 사라져있었다.

"……."

처음 알아차렸던 것은 김양의 행동이 평소와 달랐기 때문이다. 횡설수설 묻지도 않은 말을 늘여놓으며 정신을 돌리기 위해 과장된 익살을 짓는 김양의 행동은 분명 무언가를 숨기기 위한 것이었다.

"아저씨는 생각보다 눈치가 있는 편인가봐요."

아니나다를까, 장난어린 말투를 내려놓고 차분하게 답하였다. 그녀의 시선은 마지막 날 보았던 고민의 빛이 더욱 어둡게 흐르고 있었다. 슬픔이 느껴졌다. 고민이 느껴졌고, 애원이 느껴졌다. 평소 김양과 느끼던 거리감이 사라지는 느낌이었다. 가면이 벗겨지고 한 발자국 가까워지는 기이한 감각. 주변 풍경은 멀어지지만, 김양의 얼굴만큼은 더없이 가까워진다. 그 얼굴에 비치는 것은 고뇌, 고통, 고심. 표정을 이리저리 찡그리고 움찔거리던 입술이 열리며 김양의 떨리는 목소리가 흘러나온다.

"아, 그게…… 실은……"

선을 넘는다. 그녀가 먼저, 우리의 관계에 새겨진 선을 넘었다. 자신의 고통을 토로하려하고 있었다. 김양은 내게 자신의 이야기를 하려하고 있었다.

나는 그것이 싫었다. 나는 아직 준비가 되지 않았다. 저 어린 젊음이 토해낼 지독한 고통의 쓴맛을 받아낼 감당이, 각오가, 준비가 되어 있지 않았다.

"......."

그렇기에 침묵으로 선을 새로이 그었다.

"......나중에 카페에서 봐요. 언젠가, 아저씨가 에스프레소를 마실 때쯤 되면 자세히 말해줄게요."

내 뜻을 이해했느지, 김양은 쓴웃음과 함께 엘리베이터에 올라타며 작별인사를 건네듯 말하였다. 그리고 닫히는 엘리베이터 문 사이로 손을 흔드는 김양의 모습을 끝으로 엘리베이터의 문이……

삑.

"?"

"뭐합니까. 나도 타야하는데."

"아……. 죄송해요."

닫히지는 않았다. 어색하고도 무거운 침묵 속에서 엘리베이터가 움직였다.

***

그로부터 한참의 시간이 흐르고.

"저 왔어요."

김양이 드디어 카페로 돌아왔다. 가게 주인은 답지않게 눈시울을 붉히며 김양을 맞이하였다. 잃어버린 손녀를 찾기라도 했나보다. 나는 무던히, 커피잔을 기울이며 눈인사를 건네었다.

"어? 늘 마시던게 아니네요?"

그러나 김양은 나의 눈인사보다 내 손에 들린 커피에 더 관심을 가지는 듯 하였다.

"바꿨습니다. 카페모카는 너무 달아서요."

내 손에 들린 것은 콜드 브루. 처음 그녀와 보았을 당시 주문했던 커피였다.

"못 본 사이 아저씨도 많이 변했네요."
"그 이야기라면 저쪽 주인분께서 이미 진즉에 하셨습니다."
"김양! 오랜만입니다. 그동안 왜 안왔습니까. 이 노인네가 얼마나 외로웠는지 아십니까!?"
"미안해요. 할아버지."
"김양!"

그렇게 쌓인 회포를 푸는 둘을 두고, 나는 묵묵히 커피잔을 기울였다.
콜드 브루는 카페모카와 달랐다. 초콜릿이 들어가지 않았기에 단맛이 느껴지지 않았다. 오직 쓴맛만이 느껴진다. 얼음잔에 담긴 콜드 브루는 별달리 들어가는 것이 없어 맛이 그리 풍부하지 않았다. 원두 본연의 맛을 어느정도 즐길 수 있다 말하던데 솔직히 나는 무슨 맛을 말하는지 알 수 없었다. 입안을 가득 메우는 쌉쓸함이 원두의 맛인 것일까.

"그나저나 김양, 무슨 일이 있었던 겁니까."
"아…… 그게 말이죠."

그때, 가게 주인의 질문에 김양이 머뭇거리는 목소리가 내 귀에 들렸다. 나도 어느정도 궁금하였기에 살짝 고개를 돌려 그녀를 바라보았다. 김양이 사실을 말할 지, 아니면 거짓을 말할 지 궁금하였다.

과연 그녀는 가게 주인에게도 진실을 털어놓고자 할까?

"숙녀의 비밀이랍니다. 말해줄 수 없어요! 커피나 한 잔 주세요. 늘 마시던 걸로, 젓지말고 흔들어서."

유감스럽게도 그녀가 선택한 대답은 회피였다. 장난스럽게, 하지만 평소의 그녀와 같은 행동으로 자연스럽게 넘어가는 회피였다. 그런 밍밍한 대답에 맥이 식어버린 나는 관심을 지웠다.

대신, 둘의 대화로부터 눈을 돌린 나는 창밖을 바라보았다. 거리에는 제법 앙상해진 가로수들이 즐비해 있었다.

'벌써 겨울이……'

가을이 끝나가고 있었다.

내게 커피를 알려준 가을이.

카페 템포를 알게된 가을이.

김양을 알게된 가을이.

그리고 아무에게도 말하지 않았지만 내게도 무언가 다가오고 있었다. 어쩌면 내 삶을 결정지을 분기점일지도 모를 선택이 다가오고 있었다. 이제는 준비를 해야 할 차례이다.

나는 그 날, 한 잔의 콜드 브루를 마셨다.

역시나 쓰지 않았다.

***

시간은 빠르게 흘러 두 달이란 시간이 흐른 어느날.

"너, 뭔가 변했다?"

탕비실에서 커피를 타는 내 곁에 다가온 사수가 말하였다. 회식 몇 번 하다보니 그와 친분이 생겨 사수는 나에게 말을 놓은 상태였다. 나는 커피 믹스를 내려놓고 사수를 바라보며 입을 열었다.

"무슨 말씀이십니까 선배?"

"뭔가 부장님 같아졌어. 아니, 그 성격은 다른데 뭐라해야되지 이 느낌을…… ."

"예?"

"아무튼간에 말이야. 안마시던 커피 마시는 것도 그렇고, 실수가 점점 줄어드는 것도 그렇고 뭐랄까…… 암튼 변했어. 두달만에 사람이 이렇게 변할 수 있나?"

사수는 말로 설명하기 복잡한 것인지 뒷통수를 벅벅 긁으며 말꼬리를 흐트렸다. 나는 어렴풋이 그의 말을 이해할 수 있을 것 같았다.

"하하…… ."

처음 이 회사에 들어왔던 시절에 나는 내가 무엇을 해야하는지 알지 못하였었다. 그래서 실수가 많고, 배움이 느렸었다. 하지만 이제는 가을이 끝자락에 닿을 정도로 시간이 흘렀다. 그 동안 나는 많은 것들을 배웠다. 커피의 맛을 배우고, 보고서를 작성하는 방법을 배웠다. 쓴맛을 달래는 단맛을 배우고, 삶을 대하는 태도를 배웠다. 덕분에 무엇을 해야하는지 정할 수 있었다. 그런 변화를 사수는 알아차린 것 같았다.

"글쎄요, 나쁜 쪽만 아니면 좋겠네요."

능글맞게 웃은 나는 마저 커피를 탔다.

"그래, 그러면 됐지. 마지막으로 그게 말하고 싶었다."

이제는 씁쓸한 블랙 커피조차도 부담없이 마실 수 있게 되었다. 변한 것은 단순히 커피 취향만이 아니었다.

"날이 많이 추워졌어요. 감기 조심하세요 선배."
"그래. 너도."

나는 뜨거운 커피잔을 기울이며 창 밖을 바라보았다. 나의 변화에

비례하듯 시간이 흘러 어느새 가을이 끝을 맞이하고 있었다. 이제
는 추운 겨울이 다가올 차례인 듯 하였다. 앙상해져가는 거리의 나
무들 사이로, 몇 남지 않은 잎새들이 가을의 끝을 알리고 있었다.

딸랑.

나는 그 날도 여느날과 같이 카페에 들렀다. 하지만 오늘은 여느
날과 달랐다.

"아저씨."

김양이 먼저 와있었다. 나는 겉옷을 벗으며 그녀의 옆자리에 앉았
다. 나의 자리에는 작은 커피잔 하나가 놓여있었다.
에스프레소.
그녀에게서 항상 풍기던 커피향의 주인이 내 앞에 놓여있었다.

"저번에 말했었죠? 마시면 알려준다고."

오늘의 김양은 웃고있지 않았다. 긴장한 것처럼 보였다.

"내가 왜 그런 말을 했을까요. 내가 왜……."

가라앉은 시선으로 커피를 한 번, 나를 한 번 바라본 김양은 그렇게 말했다. 나는 그런 그녀를 바라보며 말했다.

"마시기 전에 할 말이 있습니다."
"뭔데요?"
"아마 오늘이 가게에 오는 마지막 날이 될 것 같습니다. 운이 좋았거든요. 이번 미팅에서 제 보고서를 좋게 봐주신 분 덕분에 해외 전출을 가게 되었습니다."

그 말대로 나는 입사한 지 몇 달이 지난 신입임에도 해외 전출을 가게되었다. 부장님께서 나의 보고서를 읽고 무언가 느낀 점이 있는 듯 하여 해외 커피 회사와 컨택이 되었다나 뭐라나. 정확한 진상은 알 수 없었지만 어쨋든간에 나의 해외 전출은 확정이 난 셈이었다.

"어, 축하해요? 아니, 어…… 당황스럽네요."

나의 갑작스런 고백에 김양은 당황한 듯 보였다. 어찌나 당황했는지 시선의 떨림도 숨기지 못하고 어리숙한 티를 낼 정도였다. 그 모습은 그녀의 젊은 외관에 무척이나 잘어울리는 표정이었다.

"그럼 마십니다."

나는 단숨에 커피잔을 기울여 작은 한 모금을 입에 담았다.

"!"

쓰다.

여태껏 먹어왔던 그 어떤 커피보다도 에스프레소는 쓴맛이 강렬하였다. 신이 커피로 독약을 만들었다면 에스프레소의 형태로 만들지 않을까 싶을 정도로 지독한 불두덩이 같은 쓴맛이었다. 하지만 쓴맛만이 있는 것은 아니었다.

쓴맛 사이사이로, 옅은 줄기 같이 산미가 올라왔다. 감귤의 향이었다. 감귤의 상큼함을 담은 산미가 쓴맛 사이사이로 나를 편하게 달래주고 있었다. 덕분에 희망과도 같은 따스함이 느껴졌다. 아마 그것이 아니었다면 첫 입에 나는 바로 에스프레소를 뱉었을 것이다.

강렬했던 첫 맛 이후로 느껴지는 것은 향이었다. 작은 한 모금에서 나오는 것이라고 믿기지 않을 정도로 풍부한 향이 넘실거리며 미각과 후각을 강타하였다. 전두엽이 새하얗게 물들고 공중에 뜬 것처럼 정신이 순간적으로 각성되었다. 온 몸의 후각이 곤두서서 강렬한 향을 받아들였다.

가을.

이것은 가을의 향이다.

넘실거리는 향은 황금빛 들판을 담고 있었다. 황금빛 들판에는 고개숙인 벼와 황금의 옷을 입은 나무들이 바람결을 따라 흔들리고 있었다. 그 바람을 타고 하늘을 나는 것 같았다. 높이 더 높이. 하지만 모든 것이 언젠가 끝을 맺듯, 향이 점차 사그라들기 시작하였다.

동시에 가을이 끝나갔다. 나는 점차 내려오고, 황금빛 들판은 벗겨져 삭막하고 황량한 대지만을 드러낼 뿐이었다.

끝끝내 찾아온 것은 삭막한 쓸쓸함. 가을의 끝은 무서우리만치 싸늘했고, 공허했다.

나는 잔을 내려놓았다.

"무슨 말을 해야할 지, 뭐부터 물어봐야 할 지 참 궁금했는데 이거부터 물어봐야겠습니다."

그리고 김양을 향해 나지막히 입을 열었다.

"이름이 뭡니까?"

***

그녀의 이름은 김지연. 나이는 22살.

의외로 대학생인줄 알았던 그녀는 대학생이 아니었다고 한다.

그리고 이어진 그녀의 이야기는 흔하디 흔한, 어쩌면 우리 곁에 있을지도 모를 자그마하지만 무거운 불행이야기였다.

부모님의 사업 실패.

빚쟁이 신세가 되어버린 가족과 어린 나이였던 그녀의 집을 가득 메운 붉은 압류 딱지들.

매일같이 고함을 질러가며 싸우는 부모님과 이불 속에서 숨 죽여 울음을 토해내는 어린아이.

수년을 그리 싸우다 끝내 갈라서는 부모님, 그리고 남은 어머니의 손에 이끌려 끌려가는 어린 중학생.

5평짜리 빗물 새는 원룸에서 어머니와 함께 사는 소녀.

술에 빠진 어머니를 대신하여 밤낮으로 알바를 하며 생활비를 버는 소녀 가장.

그녀는 그렇게 19살이라는 나이에 너무나도 빨리 어른이 되었다.

"커피는…… 술 대신이었어요."

그녀는, 김양은, 김지연이라는 이름의 소녀는 그리 말하였다.

"힘들때마다 술이라도 마시면서 버티고 싶었는데 술에 빠져사는 엄마를 보다보면 또 술이 어찌나 미워보이던지…… 그래서 선택한 게 커피였어요."

커피를 홀짝이며 그녀의 이야기를 들었다.

"사람들이 커피를 마시면서 여유를 부리는게 부러웠거든요. 나는 숨 쉴 틈도 없이 일하는데 저 사람들은 저렇게 돈 쓰면서 시간을 버린다는게 너무나도 부러웠어요."

나는 그녀의 속마음을 들으며 그녀에 대해 알 수 있었다.

어른인 척 하는 아이. 커피라는 마법에 힘을 빌려 여유있는 어른인 척 하는 부서지기 직전의 어린아이. 그것이 김양의, 김지연의 실체였다.

나와는 정반대였다. 나는 아이같은 어른이었고, 그녀는 어른같은 아이였다.

그래서 시선이 끌렸을지도 모른다.

"몰랐는데 아빠가 남긴 빚이 있더라고요. 저도 모르는 사이에 죽고 사채업자들에게 남긴 빚이었어요. 상속 포기도 시기를 놓쳐서 못해버려서 뭐 할 새도 없이 빚쟁이가 됐죠."

그녀는 자신이 밤낮으로 일하는 이유를 말하였다. 후에 듣기로 그녀는 하루 16시간씩 하루도 빠짐없이 일한다고 하였다. 그러다보니 몸에 무리가 오고 결국 과로로 쓰러져 병원에 입원한 것이었다.

"……"

나는 위로 하나 없이 묵묵히 그녀의 이야기를 들었다. 길고긴 이야기가 끝을 맞이할 때 쯤이면 해가 저물고 밤이 찾아온 후였다. 창밖은 어두웠고 가게는 평소보다도 어둡고 조용하였다. 향은 느껴지지 않았다.

그녀는 더이상 여인이 아니었다.

"그래도 괜찮아요. 요새는 나아졌거든요. 이렇게 말할 수도 있을 만큼 말이에요."

김지연은 작게 웃고 있었다. 그 미소가 너무나도 위태롭고 거짓된 것을 알았지만 나는 뭐라 할 수 없었다. 그녀의 불행이 내게는 너무나도 크고 무거웠다.

"……."

몇 번이고 벌어졌던 입은 위로의 말을 몇 번이고 뱉어내려 하였지만, 끝끝내 목에 매어 소리가 되지 않았다. 내가 할 수 있는 것이 없었다. 위로는 위선이었다. 나는 묵묵히 그녀의 이야기를 들으며 커피를 마실 뿐이었다.

에스프레소는 더이상 쓰지 않았다. 그녀가 내게 들려주는 그녀의 삶이 더욱 쓰게 다가왔다.

"아저씨, 고마워요. ……들어줘서. 그리고 잘가요."

우리의 대화는 그렇게 끝이 났다.

가을의 끝과 함께, 만남의 끝과 함께.

물기어린 목소리로 눈물을 훔치며 떠난 그녀의 자리에는 한 모금도 마시지 않은 커피잔이 차갑게 식은 채로 놓여져 있었다.

나는 빈 커피잔을 내려놓으며 짙은 한숨을 내쉬었다. 화려하게 시작되었던 만남의 끝은, 삭막하고 조용하게 맥아리 없이 끝이 났다.

나는 그 날 한 잔의 에스프레소를 마셨다.

***

그녀는 내게 자신의 짐을 내려놓았다.

그렇게 어른인 척 하던 아이는 끝끝내 제 자리를 찾아 아이가 되었다.

그 이후로 그녀가 어떻게 되었는지는 알 수 없었다.

무거운 현실을 버티지 못하고 자신의 아버지와 똑같은 선택을 했을지도 모른다.

과로에 짓눌러 살다 어느순간 갑자기 길거리에 쓰러진 채로 삶을 마감할지도 모른다.

혹은 기적처럼 견디며 모든 빚을 갚고 커피 한 잔의 여유와 함께 광명을 찾을지도 모른다.

내가 할 수 있는 것은 그녀의 앞날을 축복하며 기도할 뿐이었다.

나는 그녀에게서 너무나도 많은 것을 배웠다.

아이처럼 행동하던 어른은 끝끝내 제 자리를 찾아 어른이 되었다.

나는 그 해의 가을 이후로 해외 전출을 나가 많은 경험을 쌓을 수 있었다. 몇 년의 해외 생활 끝에 돌아온 나는 오랜만에 카페를 찾았었다. 가게 주인은 나를 반기었지만, 그녀는 그곳에 있지 않았다. 그 날을 마지막으로 나는 더 이상 카페를 가지 않았다.

그리고 다시 수 년의 시간이 흘러 그 해로부터 8년이 지난 가을.

나는 갑작스레 떠오른 추억에 다시금 카페를 찾았다. 8년이라는 세월의 흐름 속에서 변한 것은 아무것도 없었다. 그때와 하나도 다를 바 없었다.

딸랑.

나는 조용히 문을 열었다. 종이 울리고 햇살이 나부끼는 가게 안에서 누군가 나를 바라보았다. 그리운 커피향이 느껴졌다. 나는 나를 바라보는 한 여인의 시선을 마주보며 작게 웃었다.

심장의 노래

'588, 587, 586……'

심장이 뜁니다.

생명을 담은 리듬을 타고 심장이 뛰고 있습니다.

4분의 4박자. 무척이나 아름다운 박자를 두드리는 그것은 하나의
악기이자 한 편의 노래와도 같습니다.

'543, 542······'

하지만 나는 이 기분좋은 고동을 마냥 웃으며 감상할 수 없었습니다.

생명을 담은 리듬은, 동시에 나의 죽음을 기다리는 초읽기이기 때문입니다.

저의 심장이 곧 있으면 수명을 다합니다.

'499, 498, 497.'

이제 기껏해야 5분 남짓입니다.

그 뒤면 나는 어떻게 되는 것일까요.

삐ㅡ. 두근. 삐, 두근. 삐. 두근. 두근. 삐이ㅡㅡ.

노래가 들립니다. 불규칙한 심장 고동 속에서, 오직 저만이 들을 수 있는 노래가 귓가에 퍼지고 있습니다.

생명유지장치의 경고음. 심장 박동의 울림.

'444, 443'

상반되는 그것들이 섞여 노래가 됩니다.

소름돋게 아름답습니다.
오싹하게 찬란합니다.

'320, 319……'

긴장 속에서 빨라지는 심장 고동에 맞추어 노래가 격해집니다.

죽음을 앞당기는 노래가 하얗게 불타고 있습니다.

온 몸이 뜨겁습니다.

끝을 앞둔 심장이 맹렬하게 뛰기 시작합니다.

Accelerando - 점점 빠르게.

'274⋯⋯!'

Vivace - 화려하게 빠르게.

'⋯⋯102, 101, 100!'

Feroce - 거칠게.

"⋯⋯30, 29⋯⋯"

죽음이 눈 앞으로 다가왔습니다.

세상이 흐려지고 주변에서 울부짖던 소리가 들리지 않습니다.

눈이 감깁니다.

두근!

오직 심장의 노래만이 차갑고 포근하게 나를 보듬고 있습니다.

몇 번의 고동만이 남았는지 이제 모르겠습니다.

춥습니다.

Decrescendo - 점점 약하게.

시간이 멈추어버린 듯, 심장의 고동이 약해집니다.

Pianissimo - 매우 여리게.

노래가 끝나갑니다.

Morendo - 숨이 끊어져 가듯이.

이제 쉼표를 찍고 좀 쉬어야겠습니다.

남은 인생 10년

만약 내가 하루를 사랑할 수 있다면

나는 나를 사랑해주는 가족을 사랑할 것입니다.

만약 내가 일주일을 사랑할 수 있다면

나의 동반자가 되어준 연인을 사랑할 것이고.

내가 한 달을 사랑할 수 있다면

나는 나의 곁을 지켜주는 친구를 사랑할 것입니다.

그리고 만약 일 년을 사랑할 수 있다면

나는 나를 키워준 스승을 사랑할 것입니다.

혹여 내가 10년을 사랑할 수 있다면

나는 내가 살아가는 세상을 사랑할 것입니다.

만약 당신이 100년을 사랑할 수 있다면

당신은 무엇을 사랑할 것입니까.

뱃사람

달조차 모습을 감춘 어둑한 하늘 아래.

오로지 한줄기 등댓불만이 고고히 빛나는 선착장에는 한 척의 작은
배가 위태롭게 출렁거리고 있었다.

밤 사이 찾아올 풍랑을 모르는 것인지 작은 배는 선착장에 외로이
홀로 남겨져 있었다.

"배가 와 아직도 있노."

선착장을 순찰하던 노인은 이를 보고 한숨을 내쉬었다.

분명 모든 배를 옮기라했건만 어째서 배가 남아있는 것일까.

노인은 수염 난 턱을 긁으며 생각하였다.

어쩌면 외지 낚시꾼들이 놓고 간 배일지랴.

"풍랑 옹께 배 다 치아라니께 우예라꼬 안치아노. 에잉, 기찬시럽게 시리."

노인은 혀를 끌끌 차며 중얼거렸다.

"……."

한데 가까이 다가가 배를 살펴보니 어딘가 눈에 익었다.

그것은 낚시꾼들의 배가 아니었다.

은퇴한 친우의 배였다.

바다 위에서 걸음마를 떼고 뛰어다니는 것보다 수영을 먼저 배웠던 노인의 친우, 수십 년의 세월을 파도를 타다 끝내 파도 위에서 은퇴한 친우.

마지막으로 본 지 수 년이 지났건만 틀림없이 그것은 친우의 배였다.

"이 와 여 있노."

거친 밤바다를 견딜 수 있을지조차 의심스러운 낡은 배.

배의 주인과 세월을 함께한 그 작고 낡은 배는 분명 더 이상 바다를 나갈 수 없는 몸이었다.

그래서 이미 수 년 전에 친우의 창고 한 켠에 버려졌었건만.

그런 배가 어째서 이곳에 있는 것인가.

"······어대 가나?"

노인은 파도가 부서지는 적막 속에서 쥐죽은 듯 고용한 친우의 배를 향해 물었다.

대답은 돌아오지 않았다.
아무도 없는 것일까.

하지만 노인은 직감적으로 돌아온 것은 침묵이라는 사실을 알아차렸다.

"마 우애 이 배를 다시 꺼낸킨데. 군뉘 하나 버티지 못할 배를 말이야."

노인은 한숨을 내쉬며 배 위를 조명으로 비추었다.

어둠 속에서 빛이 비추어지며 낡은 배의 모습이 적나라하게 밤하늘 아래 까발려졌다.

진즉에 벗겨진 페인트와 온갖 곳에 남아있는 홈집과 떼운 흔적들.

그러나 노인의 눈에 들어온 것은 배의 흔적이 아닌, 또다른 한 명의 노인이었다.

"만다꼬 기 있나. 뱅원에 있어야 할 노친네가."

노인의 흐린 두 눈에는 밤바람에 흔들리는 짧은 백발을 지닌 그의 친구가 선미에 앉아있는 모습이 보였다.

80이 넘는 세월을 배를 타며 얻은 수많은 상처들로 진즉에 은퇴한 친구가 아니던가.

몇 달 전까지만 해도 병원에서 쉬고 있다는 소식을 들었던 친우의 등장에 노인은 반가움보다 우려와 걱정이 먼저 들었다.

이 친구가 왜 이곳에 있던가.

병원에서 토끼 같은 자식들과 함께 하겠다고 하지 않았던가.

걱정이 꼬리의 꼬리를 물고 끝도없이 늘어졌다.

허나 그런 노인의 걱정이 무색하게도, 돌아온 것은 죽음이 다가온 늙은 뱃사람의 것이라 보기 힘들었다.

"뭐혀긴! 답답하니께 나와부렀지!"

당당하게 외치는 친우의 모습은 노인의 우려를 깨부시듯, 젊을 적 혈기 하나로 망망대해에 나가려던 친우의 모습을 꼭 닮아있었다.

달라진 것은 희게 새어버린 머리카락과 볼품없이 앙상한 몸, 상접한 피골과도 같이 이미 옛적에 버린 것들 뿐이었다.

"……!"

그 뜨거움이, 세월의 흐름에 삭아버렸던 노인의 목소리를 자연스레 높였다.

"얼씨구! 꼴에 뱃사람이라꼬 바다의 품에서 잠들고 싶었나!?"

변하지 않는 모습에 노인은 활짝 웃으며 친우를 큰 소리로 꾸짖었다.

"그려! 내 이 배에서 태어나 일평생을 이 배에서 살았응께 당연히 요놈 위에서 끝맺어야하지 않겠는교!"

친우는 출렁이는 배 위에서 용케도 넘어지지 않고 외쳤다.

삐걱대는 무릎 관절, 몇 번이고 찢어져 수술을 반복한 흉터 가득한 어깨, 햇살에 그을린 피부와 흐린 눈까지.

"내는 답답해서 이케 못산다 안캤나! 뱃사람이믄 뒈져도 바다 위어서 눈을 감아야디!"
죽음을 눈 앞의 둔 몰골이 분명했음에도 친우의 표정은 헤어지기 직전, 마지막이랍시고 배를 타던 그때와 똑 닮아있었다.

콰아아!

그들의 녹슨 젊음에 목놓아 대답하듯, 거센 파도가 선착장에 몰아

쳤다.

풍랑인가 바다의 응답인가.

노인은 쏟아지고 파도 소리에 묻히지 않도록 울대가 터져라 버럭
소리치며 화답했다.

"기려, 기랬었지. 기게 뱃사람 아인교!"

노인은 자신이 친우를 막을 수 없을 것이라는 사실을 직감하였다.

또한, 오늘이 마지막으로 그를 볼 날이 될 것이라는 사실마저도 직
감하였다.

"기래! 니캉 내캉 뱃사람인디! 다 알디!"
하지만 뱃사람의 삶.

자고로 뱃사람이란 바다 위에서 태어나 바다의 품에서 살아가 끝내 바다 속으로 돌아가야한다고 알고 있다.

그런 친우를 같은 뱃사람인 노인이 어찌 막으리랴.

"바다에서 태어났으면 기서 끝을 맺어야지! 그게 뱃사람아이디!!"

노인은 부서지는 파도 소리에 묻히지 않도록, 핏대를 세우며 소리쳤다.

가슴 속 깊은 곳에서 끌어오르는 뜨겁고 목메이는 감정을 터트리듯 친우를 향해, 듣고있을 바다를 향해 외쳤다.

뱃사람의 마지막 항해를 어찌 막으리랴.

그저 바다가 그를 따스하게 품어주기를 기대해야 하지 않겠는가.

노인은 세월 때문인지, 아니면 눈물 때문인지 모르게 흐려진 두 눈을 질끔 감으며 등을 돌렸다.

"가삐라!"

달이 없는 하늘.

눈물을 흘리지 않기 위해 모습을 감춘 달을 대신하여, 거대한 등대가 길을 비추고 있었다.

뱃사람의 마지막 항해가 될 길을 고고히, 아름답게 비추고 있었다.

"그동안 고생 마이 뭇다."

노인은 차오르는 눈시울을 벅벅 닦으며 친우의 마지막 항해를 조용히 배웅하였다.

찬란한 꽃봉오리

꽃이 피어나는 순간을 아시나요.

기나긴 기다림 끝에 웅크렸던 몸을 움찔거리며 꽃봉오리가 오색찬

란한 꽃이 되며 잠에서 깨어나는 순간을.

당신은 아시나요.

세상 사람들은 모두 활짝 만개해 하늘을 수놓는 꽃들의 시간에 집

중하지만.

떫은 흙 내음이 아직 가시지 않은 꽃봉오리에서 꽃이 피어오르는
순간은 지금뿐이라는 사실을.

그 수려하고도 찬란한 탄생은 그 어떤 꽃보다도 짧지만 화려하게
타오릅니다.

문

하

선

문하선

1장. 가벼운 제안

깜깜한 서울의 밤길 속 골목길의 가로등은 칙칙한 내 마음을
달래주는 벗이다.

불빛 아래에서 주머니를 뒤져 지갑을 열어보니 만 원 2장이
보인다.

"하… 월세랑 학비는 어쩌지…."

이번 달도 월세를 못 내면 집주인은 이 불쌍한 대학생 청년을 가차 없이 내쫓을 것이다. 학비와 월세 걱정에 고민이 산더미처럼 쌓인 채 길을 걷고 있는 와중, 양복 차림의 한 남자가 접근한다.

"안녕하세요, 저는 인신 제약의 연구원 주인결 이라고 합니다."

"아…. 예."

"다름이 아니라 저희 제약회사에서 임상 실험을 준비 중인데 기밀 유지를 위해서 이렇게 직접 만나서 제안을 하고 있습니다. 혹시 생각 있으시면 여기 이 명함으로 전화 주시면 됩니다."

명함은 제약회사의 이미지답게 하얗고 모서리는 둥글게 라운딩 되어 세련미가 느껴졌다. 당장 돈이 없는 나에게 가릴 것은 없었기에 그 자리에서 나는 곧바로 실험에 참여하기로 했다.

"그러면 내일 아침 9시 이 자리에서 뵙겠습니다. 아, 참고로 보수는 상상하시는 것보다 많을 겁니다." 연구원은 빙긋 웃으며 자리를 떠났다.

"요즘은 연구원이 직접 구인하러 다니네. 별일이군."

내일 돈을 받으면 월세가 해결될 수도 있다는 막연한 기대가 집을 향하는 내 발걸음을 가볍게 해주었다.

2장. 실험 시작

아침 일찍 눈이 자연스레 떠졌다. 쓸데없는 직업정신이 나를 빨리 자게 해서 그런지 몸이 개운했다. 실험체로서는 최상의 컨디션임이 틀림없다. 전날 그 장소에 나가보니 검은색 밴이 대기하고 있었다. 가까이 다가가니 어제 봤던 연구원이 문을 열어주며 환영했다.

"자, 어서 타시죠!"

기대에 찬 얼굴로 그는 말했다.

"저…. 그런데 주인걸씨, 임상 실험이 위험성이 높거나 생사가 오가는 것은 아니죠?"

"네! 당연하죠. 실험 이후에 일상생활에 문제가 생기더라도 저희가 다 책임지니 걱정 안 하셔도 됩니다."

어제는 생각하지 못했던 걱정들이 꼬리에 꼬리를 무는 사이 내 몸은 밴을 향해 나아갔다.

들었던 그 제약회사 그리 멀지 않은 곳에 있었다. 운전기사가 성격이 급한지 운전을 거칠게 해서 일찍 도착한 걸지도 모르겠다. 주차장에서 내리자, 연구원은 외딴곳에 있는 철제문에 다가가 정체 모를 카드를 가져다 대었다. 그러자 철제문이 위로 올라가며 새하얀 엘리베이터가 나타났다.

"자, 타시죠."

비밀스러워 보이는 이곳에 나는 상당한 위화감을 느꼈지만 그래도 뭔가 신기한 느낌이 매력적인 것 같아 별 의심 없이 올라탔다. 엘리베이터 안은 생각보다 좁고 무엇보다 층수가 보이지도 않고 여닫이 버튼밖에 존재하지 않았다.

연구원은 엘리베이터 올라가는지 내려가는지 감도 안 잡힐 때쯤 입을 열었다.

"이름이…. 문하선 씨 맞죠?"

말하지도 않은 내 이름을 알고 있는 게 뭔가 소름이 끼쳤지만 일단 대답했다.

"네, 맞습니다. 그런데 어떻게…?"

"신상 파악은 진즉에 끝마쳤습니다. 뭐, 지금은 그게 중요한 게 아니죠. 지금부터 제가 할 실험을 설명해 드리자면 일종의 약물 실험입니다. 우리 인간의 뇌는 반복 학습과 경험이 시냅스 가소성을 증가시켜 신경 신호 전달을 더욱 효율적으로 만듭니다. 저희 회사에서 개발한 약물은 이 반복학습을 건너뛰고 시냅스 가소성을 증가시키는 효과를 가지고 있습니다. 물론 아직 사람에게는 써보지 않았어요. 그래서 오늘은 실험결과가 너무 기대돼서 너무 떨리네요."

설명을 다 들을 때쯤 엘리베이터 문이 열렸다. 임상 실험 준비는 빠르게 준비되었다. 나는 깨끗하게 몸을 씻고 하얀 면 옷으로 환복을 마치고 푹신한 의료용 의자에 누웠다. 주변을 둘러봤을 때 제약회사치고 실험 장비가 그리 많지 않아서 빈 공간이 많았다. 되게 공허한 분위기에 불안한 마음이 다시금 들었지만 연구원과 그의 조수들은 이미 약물의 준비를 마치고 내 팔을 주시하고 있었다. 연구원은 내 왼팔을 걷어 핏줄을 확인하고 물처럼 투명한 약을 주입했다.

"너무 긴장하지 마세요. 긴장하면 약 흡수가 잘 안될 수 있어요."

약간은 식은땀이 났지만 그래도 죽기야 하겠냐는 심정으로 팔에 꽂힌 주사기를 응시했다. 약을 다 주입한 연구원은 자리를 뜨며 조금 있다가 돌아온다며 조수들을 남겨두고 방을 나갔다. 그 인간이 나가니 왠지 모르게 마음이 한결 편해졌다. 긴장이 풀리니 자연스럽게 눈이 감겼다.

3장. 반응

1시간 정도 지났을 때쯤 눈이 떠졌다. 왠지 모르게 머리가 개운했다. 자리에서 일어나 주변을 둘러보니 세상이 평소와는 다르게 느껴졌다.

뭔지 모를 위화감.

얼마 지나지 않아 방으로 연구원들이 들어와 나를 일으켜세우고 머리에 이상한 장치를 부착했다.

"걱정하지 마세요. 뇌파 검사를 위한 EEG장치 입니다."

어제 봤던 주인걸 연구원이 말한다. 그의 손에는 두꺼운 서류철이 들려있었다.

"이제부터 간단한 질문을 하도록 하죠. 괜찮으시죠?"

몸도 개운하니 나는 흔쾌히 수락했다.

"그럽시다 뭐."

첫 번째 질문이 시작됐다.

"지금 기분이 어떠세요?"

"머리가 맑아져서 기분은 좋은데 뭔지 모를 위화감이 드네
요."

"그래서 기분이 나쁜가요?"

"아니요, 기분은 좋습니다."

주인결 연구원이 자리를 박차고 일어난다. 그리고 갑자기 머
리 위로 서류철을 들어올린 상태에서 질문한다.

"지금 기분이 어떠세요?"

"잘 모르겠습니다.."

그러자 갑자기 연구원은 내 머리에 서류철을 내리찍었다.

퍽!

이마가 찢어져 피가 흘러내린다. 상황 파악이 잘되지 않았다. 그가 날 내리찍은 이유를 찾기도 전에 뭔가 전에는 느껴보지 못한 분노와 희열 혹은 기쁨과 비슷한 오묘한 감정들이 느껴졌다. 이 감정의 정체를 알 수는 없지만 억누르기에는 아까운 새로운 경험이었다.

나는 그 연구원에게 바로 달려든다.

왼손, 왼손, 왼손 그리고 오른손.

그의 얼굴을 향해 주먹이 닿을 때마다 기뻤다.

점점 일그러지는 그의 표정은 보기 껄끄러웠지만 주먹을 내지르는 행위는 행복했다.

행복도 잠시, 주변에 있던 다른 이들의 손에 나는 내가 누워 있던 의자에 묶이게 되었고 나에게 구타당한 연구원은 빠르게 사람 손에 업혀 어디론가 사라졌다. 내 눈앞에서 사라지는 장난감을 바라보며 실망감과 무력감을 실감했다.

1시간이 흘렀다.

흥분이 가라앉은 나는 객관적으로 상황을 파악하기 시작했다. 분명 과거의 나 자신은 이렇게 충동적으로 사람을 구타한 적이 없었다. 변화가 일어난 것은 분명 약을 주사한 후이기에 이 실험에 대한 의심이 더욱 커지기 시작했다.

심장이 빠르게 뛴다. 쿵 쿵 쿵 쿵

내 뒤에서 누군가 걸어온다. 쿵 쿵 쿵 쿵

발작국 소리는 내 심장소리에 맞춰서 내 뒤통수까지 왔다. 소리의 주인을 보기 위해 고개를 들어보니 아까 내가 신나게 때린 주인결 연구원이 등 뒤를 돌아 내 눈앞까지 다가와 있었다. 얼굴에는 상처를 꿰맨 자국과 밴드를 덕지덕지 붙여 전에 보았던 모습과는 이미지가 많이 달라서 우스꽝스러웠다. 웃음을 참다 보니 긴장이 조금은 풀렸다.

표정은 딱히 화난 것 같지는 않고 또다시 손에 서류철이 들려있는 것을 보니 다시 내 머리를 내리찍으려는 건가 싶어 물었다.

"어이 주인결씨, 다시 내 머리통을 찍으려고 서류철을 들고 오셨나? 아까보다 더 두꺼운 걸 보니 아예 박살 낼 생각인가 보지?"

주인결은 만신창이인 얼굴로 헛웃음을 짓는 바람에 밴드가 떨어질 뻔했다.

"그럴 수도 있겠지만 지금은 그보다 더 중요한 일이 있어요."

"내 머리를 부수는 것보다 중요한게 뭔데?"

"저희가 투여한 약물은 시냅스 가소성을 촉진시켜 반복 학습의 과정을 거의 생략하게 할 수 있다고 말했습니다. 인간에게 초월적인 학습 능력을 줄 수 있지만 이에 따라 부작용도 있죠."

"그걸 이제 말하는 당신은 시냅스 가소성이 현저히 떨어지나 보군."

"어쨌든 이 약물의 가장 치명적인 부작용은 폭력성에 따른 도파민의 분비를 극단적으로 높인다는 거예요. 또한 세로토닌의 분비를 억제해 충동을 억제하기 매우 힘들죠."

"맞아 나는 지금도 당신 얼굴에 주먹을 꽂아 넣고 싶어. 단지, 상황을 조금 더 지켜볼 뿐이지.

"하선군은 몰랐겠지만 이번 시험의 희생자가 그쪽이 처음은 아니에요. 물론 지금까지 나온 결과 중에 가장 괜찮긴 하네요. 아예 이성을 잃고 달려드는 사람부터 완전히 무기력해져 삶의 의지를 잃은 사람까지 참 다양했지요."

"아, 그래서 내가 그나마 가장 괜찮은 실험체다?"

"그런 셈이죠. 좀 더 지켜봐야겠지만."

"알겠으니까 묶은 것 좀 풀어주지?"

재수 없는 연구원은 자리에서 일어나며 말했다.

"알아서 풀어보세요. 머리는 그래도 쓸만해졌을 테니까."

내 등 뒤로 사라지는 연구원을 지켜보며 나는 다짐했다. 저 녀석만큼은 이곳에서 나가기 전에 죽이기로.

4장. 준비

주인결의 조수 연구원은 일주일 정도 경과를 지켜보고 나를 내보내 주겠다고 말하며 이전에 입고 왔던 옷가지와 소지품들을 건넨다. 빨리 꺼지라는 의미로 뺨을 후려주었다.

이 답답한 공간에 일주일을 있자니 한숨이 절로 나온다. 의자에 풀썩 앉아 방 안을 천천히 둘러본다. 좀 전에는 긴장해서 제대로 못 둘러봤는데 사각형 방의 사각지대 4곳 모두 감시카메라가 달려있고 책상 하나와 내가 앉은 의자와 침대 그리고 뒤의 문 말고는 이 방에 존재하는 물건은 없었다. 벽

지 색깔과 바닥 색깔은 새하얀 백색으로 깔끔하게 마감되어 병원 같은 이미지를 보여준다. 너무나 공허한 이 공간에서의 시간은 정말 지루하기 짝이 없다.

벌컥!

배가 둥그렇게 튀어나온 경비원이 플라스틱 케이스에 덮인 식판을 들고 방 안으로 걸어 들어온다. 허리춤에 있는 열쇠를 짤랑거리며 뚜벅뚜벅 걸어와서 말 없이 책상에 식판을 두고 유유히 나간다. 오늘의 점심인지 저녁인지 모를 식사는 비빔밥이었다. 그래도 밥은 꽤 잘 챙겨주는 것을 보니 나를 해치려는 의도는 없어 보였지만 주인결 연구원을 향한 내 살의는 사그라들지 않았다.

밥을 다먹고 침대에 누워 멍을 때린다. 아까 그 열쇠의 짤랑짤랑 거리는 소리가 머릿속을 맴돈다. 그러다 문득 내가 봤던 열쇠의 모양이 떠오르기 시작했다. 한번 봤던 물체의 형태가 정확히 떠오른다는게 말이 되나 싶긴 했지만 분명 지금 나의 뇌는 그것을 기억해내고 있었다.

"허, 참 별일이 다 있군."

바로 실행에 옮기기 위해서는 무엇보다 재료가 필요했다. 식기를 빼돌린다면 무조건 걸릴 것이 분명했고 이 방 안에는 쓸만한 도구나 재료가 전무했다. "에휴! 그럼 그렇지. 형태를 알면 뭐하나 만들 수가 없는데..." 다시 생각에 잠긴 나는 침대에 벌러덩 누웠다.

침대는 내 무게에 눌려 이리저리 춤을 추었다. 눈이 감긴 채 이 움직임을 느끼던 나는 번뜩 아이디어가 떠오른다. "그래, 침대에 스프링이 있었지!" 침대를 약각 들춰 바닥면을 보니 역시 비싼 것도 아니고 실험실에 대충 가져다 놓은 침대다 보니 스프링들이 줄줄이 보였다. 두꺼운 스프링 주변에

얇은 스프링들이 있어, 이것들을 떼어서 쓰면 되겠다는 생각이 들었다.

"좋아, 재료 준비는 끝났고 이제 탈출 루트만 세우면 되겠군."

사각지대 4곳에 존재하는 감시 카메라는 누가 감식하고 있는지 알아볼 필요가 있다.

그렇기에 나는 테스트를 한번 해볼 겸 감시카메라 4대 전부 쇠 숟가락으로 파손을 시켰다. 그리고 곧바로 침대 아래에 있는 스프링을 떼어내기 시작했다. 감식하는 사람들이 들이닥칠 까봐 조마조마했지만 문 밖에는 사람이 다가오는 소리가 들리지는 않는다. 떼어낸 스프링을 일단 펴주고 내가 기억하고 있는 모양에 맞게 구부리기 시작했다. 생각보다 두꺼워서 구부리는데 손가락이 아파왔다.

그렇게 열쇠의 형태를 다 만들어갈 때쯤 문이 열리고 주인결 연구원과 그 외 다른 4명의 사람들이 들이닥쳤다. 다행이 문 밖의 소리를 듣고 열쇠를 감춰서 들킨 것 같지는 않았다. 주인결은 여유있게 웃으며 나에게 말을 걸었다.

"문하선씨, 도망친 줄 알고 놀랄 뻔 했습니다. 감시카메라는 왜 부수신 거에요? 분풀이 대상이 없으셔서 그런가… 좋은 머리를 가지고 그러시니 안타깝네요."

"네놈 머리를 부술 순 없으니 저거라도 부숴야지."

"머리가 좋아지시더니 사람이 참 재밌어졌네요."
살의가 들끓었지만 그에게 물었다.

"여기 있는 사람들 전부 날 감시하던 사람들인가?"

"예, 4명당 1대씩 하선 씨를 주시하고 있습니다. 왜요? 생각보다 사람이 적어서 서운하셨나요?"

"나름 인기가 많을 줄 알았는데 4명이라니 실망이네."

그는 그저 웃으며 내 대답을 피하고는 4명의 감식원들과 감시카메라를 고치고 나가버렸다. 참 재수없는 인간의 표본이 아닐 수 없다.

5장. 탈출

4명의 감식원, 도착까지 대략 10분.

아직 이 방 외부의 구조에 대해 잘 모르고 건물 자체가 크다보니 방 밖으로 나온다 해도 실질적인 탈출은 오래 걸릴 수 있다. 달리 방법은 없기에 다음 식사 시간에 맞춰서 탈출을 노려봐야겠다.

침대에서 한참을 멍 때리다 보니 또 다시 좀 전에 봤던 경비원이 식판을 들고 찾아왔다. 메뉴는 불고기 덮밥에 반찬으로 김치가 나왔다. 일단 식사는 안중에 없었지만 경비원이 지켜보는 것 같아 수저를 들고 몇 입 먹는 척을 했다. 그제야 조금 안심하며 방을 나갔다. 경비원의 발걸음이 안 들릴 때쯤 나는 자리를 박차고 방 문을 향했고 임시방편 열쇠를 꺼내 열쇠구멍에 집어넣었다. 떨리는 마음으로 열쇠를 돌리자 문이 철컥하며 열렸다. 드디어 이 답답한 공간을 뒤로하고 밖으로 나간다. 기쁨에 의한 탄성이 절로 나왔다.

"드디어 내가 나왔다!"

이제 밖으로 나가는 것도 중요하지만 가장 중요한 것은 주인결 그 자를 죽이는 것이다. 앞으로 나 말고도 다른 희생자들을 만들지도 모르고 무엇보다 그 인간은 기분이 나쁘다. 그를 찾기 위해 나는 문을 열자마자 달려나간다.

동문서답

"어이, 자네 이름이 뭔가?"

"에?"

....

"이름이 뭐냐고요."

"아, 문하선 이에요."

얼굴은 내 취향이군….

"그쪽은요?"

"저는 고상면입니다."

아 그렇구나.

"하선 씨 지금 취조 중인 건 아세요?"

"몰라용."

이런…. 귀엽군.

"상면 씨는 직업이 경찰이에요?"

"아니요, 형사입니다."

어머 멋있다.

"중고차 매장에서 차량구매도 없이 도주하신 거 맞죠?"

"넹."

이런 맹한 여자가…?

"우리 지금 소개팅하는 거에요?"

"반성은 하고 계십니까?"

"너무 설렌다... 부끄러워요."

......저도요.

임

서

준

경기대학교가 인수됨

경기대학교 도서관.
시험기간으로 도서관이 사람들로 가득 찬다.
시험 전 1주 전 도서관 자리 잡기는 하늘의 별 따기 라고 할 수 있다.

"아우 자리 나이스."

하지만 나는 자리잡기 어렵다고 소문난 도서관에 자리를 잡았다.

"마지막 하나를 내가 먹다니 뒷사람이 불쌍한 걸."

실제로 내 뒷사람은 똥 십은 표정으로 열람실 밖에 있는 기다리는 자석에 앉았다.
뒤에서는 학교를 욕하는 소리가 들린 거 같았다.
그런 뒷사람을 애써 무시하고 자리에 앉았다.

시험기간 도서관.
주변에는 사람들로 꽉 차 있었지만 정작 공부에 집중하는 얘들은 많지 않았다.

'그치 유튜브는 못참지.'

그리고 나 또한 집중하지 못하는 애들 중 하나 일 것이다.

그때였다.
어디선가 경매 봉 소리가 3번 울렸다.
그리고 어디선가 생뚱맞 은 소리가 들렸다.

[경기대학교는 2024년 4월 19일 오후 12시 36분 27초경 '신과함께 이사회'에 낙찰되었습니다.]

그리고 눈 깜짝 할 사이 나는 어디론 가 이동했다.
주위를 둘러보니 도서관에 있던 사람들.
또한 경기대 학잠을 입고 있는 이들이 많이 보였다.
방금 생뚱맞 은 소리와 여기 있는 사람들을 봤을 때 아마 학교에 있는 모든 사람들이 이 공간으로 이동한 거 같았다.

그리고 어떤 괴생명체가 나왔다.
얼굴은 고양이.
온몸에는 검은색 정장을 착용하고 있었다.

[안녕하십니까? 여러분. 저는 신과함께 이사회에서 나온 '@%$#' 라고 합니다.]

그 생명체의 이름은 들리지 않지만 나는 그리고 다른 이들은 깨달은 거 같았다.

지금 일어난 일은 현실이고 우린 모두 ㅈ됐다는 것을.

[경기대학교는 학생들의 적의가 과반수가 넘어 자동 경매에 넘어 갔으면 저희 신과함께 이사회에서 인수하게 되었습니다.]

[이 곳을 나가고 싶다면 각기 할당 받은 포인트를 채우거나 죽으시면 됩니다.]

[포인트는 몬스터들을 잡으면서 얻을 수 있습니다. 특별히 저희는 학생분들을 위해 상태창이란 특전을 지급할 것이고 "상태창"이라 말함으로써 활성화할 수 있습니다.]

[그럼 아무쪼록 수고하시길.]

말을 마친 그 괴생명체는 사라졌다.
그리고 공간에 있는 사람들은 혼란에 빠졌다.

"아니 이게 뭐야!"
"이거 몰카 맞죠...?"
"제발 저 좀 꺼내주세요."

그리고 혼란에 빠진 사람들과는 다르게 괴생명체가 설명해준 상태창에 대해 알아보는 사람들도 있었다.

"상태창."

그리고 나는 후자에 해당했다.

"오 이런 형식인가?"

126

평소에 웹소설및 웹툰들을 자주 보는 나는 이 사실이 재밌고 신기했다.

'근력, 민첩, 체력, 마력, 정신이 각각 10씩. 그리고 특성?'

특성은 아마 고유한 능력인 듯했다.

'내 특성이... 무한 성장?'

무한 특성 설명을 읽어보니 나의 한계가 없다는 것 같았다.

'오 그리고 상점도 있네.'

상점은 포인트로 무기, 능력(근력, 민첩, 체력, 마력, 정신), 물약, 특별함 힘 등이 있었다.

특별한 힘에는 귀환, 환생, 빙의 등이 있었다.

사람들이 가장 중요하게 생각할 지구로의 귀환은 30포인트였다.

이렇게 내 상태창에 대해 알아보던 중 모두를 주목 시킨 건 어디선가 들려온 한 문장이었다.

[몬스터 웨이브 1이 시작됩니다.]

그리고 몬스터들 즉 아까 괴생명체가 말했던 존재들이 튀어나왔다.

몬스터들은 흔히 우리 들이 말하는 고블린 같은 존재였다.

그리고 여기저기서 웅성거림이 들려왔다.

"저것들을 잡아야 집에 갈 수 있다는 거지?"

그리고 이 한문장이 가진 힘은 생각 보다 컷고 나와 같은 용감한

자들은 앞에 나와 몬스터를 맞이했다.

무기가 없던 나는 다른 사람들을 앞에 세워 안전하게 고블린의 목을 졸라 잡았다.
그리고 상태창에 새로운 알림이 생겼다.

[1포인트를 얻었습니다.]

이 소리를 듣자 마자 아까 봐 두었던 장검을 하나 샀다.
그리고 무기가 없을 때와는 다르게 앞에 서 매우 빠르게 몬스터들을 잡기 시작했다.
원래 초반에 몬스터들이 약하고 앞서나가기 좋을 것이었다.

그렇게 몬스터 웨이브 1이 끝나니 아까 목소리가 또 들려왔다.

[몬스터 웨이브 2가 생성되기까지 12시간 남았습니다.]
그리고 아까 몬스터에 겁이 질려 있던 사람들도 포인트를 중요하게 생각했는지 대비하기 시작했다.
나는 30포인트를 모아 집으로 돌아가기 보단 이 일의 원흉에게 복수하고 싶다는 생각이 들었다.

100년후

"한 100년 정도 됐으려나? 혼자 이 짓을 90년도 넘게 하니 힘들군."

128

[몬스터 웨이브 73231가 생성되기까지 12시간 남았습니다.]

목소리가 들리고도 나는 다음 웨이브를 준비 하는 커녕 딴 생각에 빠졌다.
이미 웨이브는 한 손가락으로도 해결할 수 있을 만큼 강해졌기 때문이다.

"이 정도 힘이면 이사회는 그냥 박 살 낼 수 있겠지."

처음 이곳으로 온지 벌써 100년이 넘었지만 나는 아직 남아있었다.
내 특성 무한 성장을 이용해 나는 계속 강해졌다.
이 곳에 온 다른 애들은 능력치 100이 한계였지만 내 능력치들은 이미 평균 100000 넘긴지 오래었다.
그리고 나는 오늘 이사회를 박살 내기로 마음먹었다.

부 욱

공간에 대고 내가 칼질을 하니 공간에 베어졌다.

"이 곳을 나가는 것도 100년 만이군"

그리고 나는 첫날 봤던 괴생명체의 생명반응을 기억해내고 이사회를 찾아 나섰다.

칼로 공간을 몇 번 베어내니 이사회 본사로 보이는 곳이 나타났다.

"별을 통 채로 쓰다니 대단하군."

그 말을 마치고 별을 반으로 베었다.

스승

"흠 너무 약하게 베었나."

하지만 방어막에 막힌 것인지 별은 베이지 않았다.
대신 이사회의 대표로 보이는 놈이 나타났다.

"아이고, 고인 분께서는 누구 십니까?"

대표로 보이는 놈이 나에게 말을 걸었지만 나는 그를 무시하고
내 할말을 시작했다.

"이제부터 내말에는 예, 아니오로 대답한가 알겠나?"
"네...? 네엡!"
그 대표놈은 당황하더니 바로 대답했다.
역시 대표 자리에 있는 놈이기에 눈치가 빨라 보였다.

"너가 여기 대표냐?"
"넵"
"경기대학교 기억하나?"
"넵"

"거기 학생들 시간을 다시 2024년 4월 19일로 돌릴 수 있나?"

"넵"

"다시 살려라."

"넵"

그렇게 대표와의 간단한 문답이 끝나고 대표가 하급자를 불러 경기대학교를 살릴 준비를 했다.

"다 살렸습니다 고인분!"

"너희 덕분에 내가 이리 강해졌으니 죽이진 않겠다."

"앞으로 착하게 살아라."

"넵 알겠습니다!"

그렇게 나는 말을 마치고 시간을 칼로 베어 2024년 4월 19일로 갔다.

"대표님 왜 그렇게 저분 말을 잘 따랐 나요?"

"너희들은 잘 느끼지 못했겠지 저 분의 힘을. 저 분 정도 힘이면 아마 이 우주에서 세손가락에 꼽힐 듯 하다. 저분이 진정 화났다면 우리들은 이미 원자 단위로 쪼개졌겠지.
후 우리 신과함께 이사회의 가장 큰 고비 였군.

오늘 살아남았던 것에 감사해라."

"후후 드디어 돌아왔군."

경기대학교에 돌아오니 학교는 온통 혼란에 빠져있었다.
이사회가 얘들 기억은 유지한 듯싶었다.

'설마 나도 기억하려나?'
그때였다.

"대박 OOO이다!"
"헐 진짜?"

그 공간에서 나는 우리 학교 학생들 거의 절반을 도와 귀환을 도
왔었다.

"그럼 이 타이밍인가?"
바로 나는 내가 100년전에 좋아했던 여자애에게 중세시대 귀족처
럼 달려갔다.

"나랑 사귀어줄래?"

"아...어!"

경기대학교 물리 시험 시간.

"교수님 이 새끼 자면서 웃는데요?"

"냅둬라. 뭐 자기가 영웅 된 꿈이라도 꾸나보지. 내가 살다 살다
시험 시간 통 채로 잔 놈은 처음 본다."

비행기안의 한국인과 인도인

일행과는 시간이 맞지 않아 혼자 비행기를 타개된 그날이었다.

나는 비행 시간을 지루하게 보내지 않게 하기 위해 옆좌석에 앉은 분께 말을 걸었다.

"Hello. Where are you from?"

"혹시 한국인 아닌가요?"

"아...맞아요!"

"전 인도인입니다."

타지에서 생활하다 오랜만에 한국어로 말하는 사람을 보니 매우 반가워서 하고 싶은 말이 많았다.

"한국어 잘하시네요. 한국에는 어쩐 일 이세요?"

"저는 카레 전문 요리사고 한국에 있는 카레를 정복하러 갑니다.

이런 우연이! 마침 나 또한 한국 카레를 사랑하였고 오늘 아침 포장한 따뜻한 카레가 있다는 사실을 기억하고 그와 어울려 주기로 했다.

"어허, 감히 한국을!! 제가 한국 카레의 맛을 보여드리죠!"
"지금요?"
"물론이죠. 지금 제 가방에는 따끈따끈한 2가지의 카레가 있습니다."
"오호 기대되는군요."

나는 대답을 듣고 가방에 있는 N사의 카레를 꺼냈다.

"한번 같이 맛을 보시죠."
우리 둘은 서로 카레를 손에 찍어 먹었다.

"으흠. 이 카레는 인도의 카레보다 부드럽고 더 달콤한 맛이 나는 동시에 깊고 풍부한 향과 맛을 가지고 있군요. 하지만 인도 카레보단 한 수 아래입니다."
"아직 끝이 아닙니다.

그러고 나서 나는 가방에 있는 C사의 카레를 꺼냈다.

"어디 이 카레 맛도 보시죠"

그는 잠시 음미하더니 말했다.

"으흠. 인도 카레와 비슷하며 진하고 풍부한 맛이 나는군요. 하지만 이 역시 인도 카레보단 한 수 아래입니다.
"이런 젠장! 한국의 대표 카레를 두고 오다니!"

나는 오늘 아침 오뚝이 카레를 포장하지 않은 걸 후회하며 슬퍼하는 표정으로 말했다.
그때 어디선가 많이 맡아보던 냄새가 났다.

"잠만 이 냄새는...! 잠깐! 아직 한가지가 남았다!"

말을 마치니 승무원이 옆에 와서 기내식을 주었다.
"하하, 이 카레가 마지막이다. 한국의 영원한 1등 카레 오뚝이 카레다!!"

그는 카레를 한입 먹어보더니 눈이 점점 커졌다.

"이럴 수가!! 이런 맛이!! 천연 향신료의 향이 살아있으면서 달콤하면서도 입을 감싸는 짭조름함에 옅은 매운맛이 입에서 퍼지다니 이것이 바로 축제의 현장이 아니고 무엇이겠는가! 이건 오뚝이 카레의 승리이네 허허허"

그렇게 그는 비행기 안에서 눈이 풀린 채 계속 맛을 음미했다.
내가 마지막으로 기억하는 그의 모습은 공항 편의점에서 오뚝이 카레를 쓸어 담는 모습이었다

쿠키런

마녀의 집 안

뜨거운 오븐 속

나는 딸기 맛 쿠키이다.

사람들에게 인기가 많지 않아 소량 생산된 쿠키 중 하나.

그래도 꾸준히 매니아 층에겐 사랑받는 쿠키이다.

나에게 특별한 재주가 있다하면 바로 무한 환생이다.

나는 벌써 777째 딸기 맛 쿠키로 환생하고 있다.

첫번째 태어났을 때는 얌전히 쿠키로 구워져서 손님에게 팔려 먹혔다.

하지만 그 짓도 여러 번 할 게 못 된다.

내가 이 곳을 탈출하고자 마음먹었을 때가 아마 13번째 환생이었을 것이다.

매 환생마다 똑 같은 과정을 거치니 미치지 않고 버티지 못할 노릇이었다.

그 이후 점점 탈출하고 있는 범위를 넓히고 있으니 언젠간 이 곳을 탈출할 수 있으리라 굳게 믿는다.

그래서 지난 776번째 환생을 토대로 오늘도 탈출을 시도한다.

초반 탈출할 기회는 여러 번이지만 스타트 부스트를 사용할 수 있는 기회는 한 번뿐이다.

스타트 부스트를 사용하면 초반 시작을 매우 빠르게 하여 탈출 가능성을 높여준다.

그래 지금!

다른 쿠키들이 갈색으로 변하기 시작하는 이 시점.

바로 오븐을 박차고 나가기 시작한다.

시작이 반이라고 스타트 부스터로 벌써 마녀의 부엌까지 오게 되었다.

마녀의 부엌은 매우 더러워 장애물을 특히 조심해야 된다.

특히 저 날카로운 포크는 초반의 나에겐 지옥이나 다름없는 존재였다.

아마 초반 10번쯤은 저 포크가 나의 찔러 탈출에 실패했을 것이다.

어느새 마녀의 부엌의 창문을 지나 숲으로 빠져나가기 직전 식탁에 앉아 있는 마녀가 보인다.

분명 누군가 나를 쳐다보고 있는 느낌이 들지만 저 마녀는 다른 곳을 보고 있다.

부디 저 얼굴을 다시 보지 않길 빌며 숲으로 향한다.

숲으로 나오니 호박, 고목 등 다양한 장애물들이 있다.

역시 마녀가 사는 숲이라 그런지 쉬운 게 없는 느낌이다.

저기 있는 호박들은 얼굴이 다 파여 있다.

내가 만약 호박처럼 얼굴이 파이면 고통에 몸부림 치지 않을까?

마녀에게 얼굴이 파인 저 호박들이 불쌍해진다.

호박들에게 연민을 느끼던 사이 벌써 숲을 지나 지하통로로 왔다.

지하는 뽈꿈틀이만 피하면 되는 아주 쉬운 구간이다.

탈출하기 가장 쉬운 곳이라 장담할 수 있다.

하지만 저 뽈꿈틀은 예전엔 쿠키였다.

아마 내 환생 232번째였을까? 내 친구는 탈출하다 걸려 뽈꿈틀이 되어 다른 쿠키들에게 본보기가 되었다.

하지만 이것도 다 옛날 예기일 뿐이다.

다른 쿠키들은 나처럼 환생할 수 있는 능력이 없으니.

벌써 지하의 마지막 부분이 나온다.

이 곳을 통과하니 나를 가장 많이 죽게 한 바다가 나온다.

바다의 악명성은 어마어마한 바다 생명체들에게 있다.

소라, 큰 소라, 코코넛 등 한번 찔리면 죽게 된다.

또한 요즘 바다 생명체들이 많아지고 있어 더 탈출하기 힘들어진다.

하지만 이 곳 통과도 환생 600번 이후론 매우 쉬운 일이다.

이 곳을 지나니 사탕으로 둘러 싸인 세상이 나온다.

갑자기 바다 이 후 나오는 게 이상하지만 나는 그저 탈출할 뿐이다.

아직 이 사탕 세상은 탈출한 적은 없지만 오늘은 꼭 이 곳을 탈출 할 것이다.

이 곳 장애물은 사탕, 초콜릿, 과자 등 엄청 많은 불량 식품으로 가득 차 있다.

방금 저번에 죽었던 곳을 지나 나아가고 있다.

아래로 솟아 있는 초콜릿을 2단 점프로 피하고 위에서 아래로 뻗어 있는 막대과자도 슬라이드로 피해준다.

드디어 이 사탕 세상을 탈출했다.

주변을 살피니 신전 분위기가 느껴진다.

장애물로는 울타리, 검, 방패 등이 보인다.

'하하하. 이 정도면 만족하지.'

새로운 곳에 와서 이 정도 정보 탐색이면 충분하다.

아마 다음 환생 때는 더욱더 많이 탈출할 수 있겠지.

이번 환생은 아마 여기까지 인가 보다 앞에는 패턴을 파악하지 못한 검이 연속으로 솟아 있었다.

다음엔 꼭 성공하자.

--

마녀의 부엌 안

검은 망토에 툭 튀어나온 코, 긴 회색 머리카락.

쿠키가 마녀라고 부르는 존재 옆에는 다른 마녀가 보인다.

"아, 내가 말했었나? 이번에는 재밌는 녀석이 들어왔어. 이번이 벌써 777번째였나."

마녀가 웃음을 지으면서 말한다.

"넌 아직도 쿠키 가지고 장난질이니."

"얘 너도 좋아하면서 하하."

쿠키가 알면 깜짝 놀랄 정보들이 두명의 마녀들에게서 나오고 있다.

"이 쿠키는 이 곳을 영원히 탈출할 수 없다는 것을 알까? 탈출 경로는 내가 만든 것인데. 낄낄."

"그러게 한동안 재미있는 시청거리가 되겠고 먼. 낄낄."

"아 또 태어났다. 어서 이 희망이 절망으로 바뀌는 순간을 보고
싶어 하하."

마법학교 마법사로 빙의함

나는 남은 수학 강의를 촬영하고 집에 들어가는 중이었다.

꼬르륵
오늘 따라 배에서 천둥소리가 더욱 크게 난다.

"하 배고프네. 빨리 자야겠다."

아침에 나와 밤까지 강의하며 아무것도 먹지 못한 탓이었다.
그렇다고 밤늦게 집에 들어가 무언가를 챙겨 먹고 새벽에　　'으
어억, 배가 아파'라며 따질 수 도 없는 노릇이다.

그렇게 천둥소리를 들으며 차를 운전하며 집으로 달리던 중이었
다.

"어?"

그러다 갑자기 내 외침과 함께 온몸에 힘이 빠지는 것이 느껴졌다.

"아... 이게 아사라는 건가."

시끌벅적한 소리에 눈을 뜨니 웬 창고였다.

"여기는 어디지?"

밖을 나가보니 학교가 보였다.

"잠시만 내가 왜 학교에?"

그 순간 이명이 들리며 내 머릿속으로 기억이 들어왔다.

"이럴수가. 잠시만 이건 빙의?"

내가 빙의 했다는 사실보다 더 놀라운 것은 이곳은 우리가 사는 세계가 아니라는 것이다.
이 세계는 마법을 사용할 수 있는 곳이었다.

"흐흐흐 이 정도면 내 잃은 재산은 아깝지가 않지."

나는 웃으며 기뻐했다.

보통 사람이었으면 큰 혼란에 빠질지 모르겠지만,

나는 기뻐할 수밖에 없었다.

이곳에서 마법을 캐스팅하기 위해선 수학 문제를 풀어야 되는 것이었다.

마법 클래스에 따라 다른 난이도의 수학 문제가 주어지고 그 수학 문제를 풀어야지 마법이 나가는 구조였다.

그런데 내가 누구인가?

나는 대한민국 수학 강사 중에서도 탑이라 자부할 수 있는 사람이었다.

"후훗, 마법을 한번 써 해볼까?"

"파이어"

주문을 외우자 머릿속에 수학 문제가 떠올랐다.

나는 그 문제를 가뿐히 풀고 답을 작성했다.

그러자 내 손위에 불덩이가 저절로 생겼다.

"후후"

손에 불덩이가 생기는 것을 보니 마치 내 예전 통장 잔고를 보는 것보다 기분이 더 좋았다.

"이 세계에서 내가 최강이 될 일만 남은 것인가?"

"그런데 왜 내가 창고에...?"

기억을 떠올려보니 몸의 원 주인은 전교 꼴등인데 괴롭힘에 지쳐 창고에서 마법천재의 영혼을 불러들이려 다가 마법에 실패해 쓰러진 모양이다.

"마법이 실패했는데 나는 어떻게 오게 된 것이지?"

"이 몸의 원 주인과 내 이름이 같다니, 평행세계라도 되는 건가?"

일단 생각을 멈추고 나는 교실로 들어가기로 했다.
나는 기억에 따라 마법을 사용했다.

"텔레포트"

머릿속엔 수학 문제가 떠올랐지만 이 정도는 내 칠판도 풀 문제였다.

교실에 들어가니 마침 담임 선생님이 들어와서 설명을 하고 계셨다.
나는 조용히 내 자리를 찾아 앉았다.

"오늘은 전교 마법 대회가 열리는 날이니 모두 최선을 다해주세요."

마침 내가 빙의한 날은 마법 대회가 열리는 날이었다.

"자 다들 저를 따라오세요."

선생님을 따라 가니 대회장이 있었다.

"자 마법 대회는 토너먼트 형식으로 진행되니 자기 순서와 상대를 확인해 주시기 바랍니다."

"은규?"

내 상대를 확인하니 몸의 원 주인을 자주 괴롭히던 애들 중 하나였다. 순서는 5번째였다.

"등수도 얼마 차이 없으면서. 내가 대신 복수해주지."

나는 대기실에 가고 있는데 앞에 있는 은규가 보였다.
은규 주변에는 나를 함께 괴롭히는 다른 애들도 함께 있었다.
은규도 나를 확인하더니 사악하게 웃으면서 나한테 말을 걸었다.

"오 우진아? 오긴 왔네? 나였으면 도망갔을텐데. 크크큭"

옆에 있는 애들이 웃으며 말했다.

"야 건방지게 전교 꼴등이 여길 찾아와 ㅋㅋ"
"아주 그냥 혼 좀 나야겠다."

나는 그것들을 그냥 무시하면서 대기실에 걸어갔다.

"이 자식이 감히 나를 무시해?"

화가 난 은규가 내 어깨를 잡았다.

하지만 주변에 사람들이 많은 지 위협은 하지 못하고 나한 테 속
삭이고 지나갔다.
"야 너 좀 있다 보자."

몸의 원주인 같았으면 무서워서 대회 참가도 못했겠 지만 지금의
나는 대한민국 수학 일타 강사였다.

나도 은규 뒤를 보면서 말했다.

"어디 한번 보여주라고."

1시간뒤 드디어 내 차례가 왔다.
대회장 안에 들어가니 주변에는 사람들로 가득 차 있었다.
주변에는 간간히 외부에서 온 스카우터 들과 기자들이 섞여 있었
다.

"은규 화이팅! 저 꼴등 자식을 발라버려!"
"은규야 빨리 끝내줘!"

주변에는 나를 응원하는 소리는 들리지 않고 은규를 응원하는 소
리뿐이었다.
하지만 나는 이런 상황을 더욱 즐겼다.

앞에 있는 은규가 말을 걸었다.
"우진아 지금이라도 무릎 꿇고 빌면 기권시켜 줄게 하하하"

나는 그 소리를 듣는 듯 마는 듯 흘려들었다

"저게 감히"

화가 난 은규를 뒤로하고 심판이 휘슬을 불어 경기가 시작했다.

은규는 곧바로 나를 보고 주문을 외웠다.

"파이어볼"

불덩이가 나를 향해 날아왔다.
그걸 보고 나도 주문을 외웠다.

"쉴드"

머릿속으로 수학 문제를 푸니 방어막이 생성됐다.

내가 공격을 막자 관중석이 술렁거렸다.

"오 전교 꼴등이 이걸 막아?"

"와 연습 좀 했나 봐"

"그래봤 자 전교 꼴등이지."

내가 공격을 막은 걸 보더니 은규는 의외인 듯이 쳐다보았다.
하지만 나한테는 너무 쉬운 공격이었다.

"이것도 못하면 나는 아쉽지."

"뭔 소리야 이자식은. 감히 내 공격을 막아? 후회하게 해주지."
그렇게 말하곤 은규는 몇번의 파이어볼을 더 쏘았다.
그래도 내가 모든 공격을 막자 악에 받쳐 소리쳤다.

"이 자식아 도대체 무슨 수를 쓴 거야!"

나는 웃으며 대답해주었다.

"왜 지쳤어? 이건 just 계산이야."

나는 그 모습을 보고 웃으며 주문을 외웠다.

"아이스 애로우(ice arrow)"
"아이스 애로우(ice arrow)"
"아이스 애로우(ice arrow)"
"아이스 애로우(ice arrow)"

머릿속에 수능 킬러 수준의 문제가 떠올랐고 나는 순식간에 문제
를 풀어냈다.
그러자 주변에 마법진들이 생성되면서 화살들이 쏘아져 나갔다.
간단한 마법 같아 보이겠지만 다중연산으로 여러 개의 마법을 한

149

번에 쏘아낸 거다.

문제의 난이도는 평범한 문제의 제곱배로 어려워진다.

그 모습을 본 은규가 소리쳤다.

"이럴 수가!!!! 너 따위가 어떻게!"

"이건 그냥 상식으로 알고 가자. 알고 쓰는 거야."

내 말이 끝나기 무섭게 화살은 쏘아졌고 은규는 아무런 방어조차
하지 못하고 날아갔다.

대회에서 지급해준 생명 유지 장치를 입지 않았더라면 은규는 날
라 다니는 화살에 관통됐을 것이다.

내가 아이스 애로우를 쓰자 관중석에서는 일시적으로 정막이 흐
르다 환호가 터져 나왔다.

"헐 미친!!!!"

"이럴수가 저런 수준 높은 마법을!"

"뭐야 재 전교 꼴등 맞아?"

"째 이름이 뭐였지?"

관중석에서는 스카우터 들이 자리에서 다 일어나 어디론 가 전화
를 걸고 있었다.

"제 '승리' 인가요?"

심판도 당황하였지만 휘슬을 불어 내 승리를 알렸다."

"우진 승!!!"

내 시합이 끝나 나는 자리로 돌아가려 는데 기자들이 나를 기다리고 있었다.

"우진씨 소감 한마디 부탁드립니다."
"아까 그 마법은 뭐였죠?"

쏟아지는 많은 질문에 나는 한마디로 답변했다.

"내가 왜 성공했을까? 재능일까, 운일까, 노력일까? 셋 다지."

이 말을 하고 나는 모두를 지나쳐갔다.

아포칼립스 속 과학자

    갑작스럽게 퍼진 좀비 바이러스로 인해 5년전 사회는 무너졌다.
그나마 다행인 것은 좀비 바이러스가 창궐한 이후, 각성은 소설만
의 전유물이 아니었다.

소수의 확률로 일반인들도 각성하여 능력을 얻고 좀비들을 사냥해
갔다.

하지만 일반인이 각생해봤 자 한계가 있었고, 그런 인류에게도 최
후의 희망이 남아있었다.

바로 좀비 바이러스 치료제 개발 연구소.

20세기 후반 만일에 대비해 지하 깊숙이 만들어진 이 연구소는 자
급자족할 수 있게 만들어졌다.

수용인원도 만 명에 면적도 매우 넓다.

작은 도시라 해도 무방할 편.

그에 따라 당연히도 이 연구소는 최후의 방어선이다.

그리고 나는 그곳의 막내 연구소원이다.

연구소원이 되는 방법은 간단하다.

좀비 바이러스 창궐 전 직업 또는 관련된 능력을 각성하면 되니까.

나는 [연구]라는 능력을 갖고 있다.

사회가 멸망하고 당연하게도 계급이 나누어졌다.

비각성자와 각성자 그 둘의 취급은 큰 차이가 났고

각성자들은 법 위에 앉았다.

불법적인 일을 해도 대부분 제제를 받지 않는다.

그리고 당연하게도 권력자들은 그 권력을 잃을 생각이 없다.

그러던 어느 날이었다.

"우리는 치료제 개발을 완료했다."

"네?"

어쩌면 당연한 걸지도 모른다.

좀비 바이러스가 창궐한지 지난 5년은 치료제 하나 만들기엔 충분
한 시간이었으니까.

"하지만 치료제가 풀리는 일은 없을 거야."

"……어째 서죠?"

"권력자들은 권력을 잃고 싶어 하지 않으니까. 자네도 알지?"

연구소장이 말했고 나는 예전 좀비 탈출 사건이 떠올랐다.
좀비 탈출 사건으로 내가 들어오기 전 연구원이 사망한 것.
어쩌면 그 연구원은 이 질문의 대답에 따라 미래가 바뀌지 않았을
까 하는 생각이 들었다.

"네, 알겠습니다."

어쩌면 나에게는 이 선택지만 있었을지도 모른다.

"그래 잘 생각 했어. 앞으로도 잘 지내자고."

말을 마친 연구소장은 문을 열고 나갔고 나는 문 뒤에 서있는 각성
자들을 볼 수 있었다.
반항을 하지 않은 건 나에게 신의 한 수였다.
시간이 흘러 혼자만의 생각을 끝낸 나는 생각했다.

'아포카립스 이전보다 처우도 개선되고 나쁠 게 없잖아...?'

이것은 필요에 의한 정당화였고 남은 인간성마저 없어졌다.
연구 센터를 나온 나는 이 권력을 누리겠다는 생각으로 근처 마음
에 들던 여자애를 데리고 내 집으로 갔다.
아마 다른 사람이 보는 내 얼굴은 웃음으로 가득 차 있지 않았을까?

수능을 앞둔 고3의 망상

곧 수능인 고3의 망상

오늘은 수능 날이다.
나는 ㅈ됐다.
공부를 하나도 안 했다.

띠리링.

"이게 무슨 소리지?"

어디선가 이상한 소리가 들린다.
하지만 나는 코앞에 다가온 수능이 더욱 문제였다.
축하합니다. 당신을 각성했습니다.

업적: 수능까지 공부를 1도 안 한 멍청이
보상으로 전설 스킬 '백발백중'을 얻습니다

"???"

백발백중
스킬 설명: 당신이 맞추고자 하는 것을 맞출 수 있습니다.

"?????????"
전설 스킬이라고 하기엔 매우 빈약한 설명이지만 그 안에 담겨 있는 내용은 그렇지 못하다.

'맞추고자 하는 것을 맞춘다...? 그럼 혹시 수능 문제도?'

지금 내가 얻은 스킬은 나에게 딱 알맞은 스킬인 것 같다.
이 사실을 깨닫자 마자 나는 수능을 응시하러 뛰어갔다.
수능이 끝나고 나와서 채점을 했다.
물론 omr카드에는 깔끔한 하트를 그려줬지만 나는 전설 스킬 보유자였다.

"국어도 만점.. 수학도 만점... 영어도 만점.. 탐구도 만점..?"

"와.. 이게 진짜 되는구나.

입 벌리고 감탄하던 와중 엄청난 생각이 났다, 바로 복권을 사는 것이다.
일반적인 고3은 복권을 구매할 수 없지만 나는 1년을 꿇은 20살

고3이었다
이 생각이 떠오르자 마자 복권 판매점으로 달려갔다.

"수동이요."

복권 판매점에 도착한후 복권을 구매했다.

"1..2..5..10..15.33!"

그날 똑같은 번호로 5장의 복권을 구매했다.
지금은 토요일 밤 8시, 곧 있으면 복권 담청 번호가 나온다
그리고 나는 1등의 주인공이 될 것이다.
마침 방송에서 번호 뽑는 기계가 돌아가고 있었다

"오늘의 당첨 번호는요!!"

"3,6,22,32,33,34 입니다. 당첨 축하드립니다!"

"???"

당연하게 당첨이 될 줄 알았던 나는 당첨이 안되자 당황했다
하지만 잠시 곰곰이 생각한후 한가지 가정을 떠올렸다.
'혹시.. 나 말고도 스킬 보유자 더 있나?"

이 가설을 떠올린 나는 곧바로 내 능력을 썼다.
다른 능력자를 찾고자 하며 위치 추적기를 던지는 것이다.
내 스킬은 백발백중, 아무리 멀리 떨어져 있어도 그는 나의 위치

추적기에 걸릴 수밖에 없다.

"어! 멈췄다!"

나는 내 가설이 맞다는 사실에 감격하며 위치 추적기를 따라갔다.
위치 추적기가 가리키는 방향을 가니 지하에 어떤 아지트 같은
것이 세워져 있었다.
나는 문을 두드리며 말했다.

"혹시 여기가 능력자들 모임인가요?"

내가 말하고 얼마 지나지 않아 어떤 덩치 큰 아저씨가 나왔다.

"누구 십니까?"

"음. 그냥 와봤는데요?"

"일단 따라오시죠."

나는 그 아저씨를 졸졸 뒤 따라갔다.
계속 뒤따라가니 어떤 회의실 같은 곳이 나왔다.
그곳에는 여러 사람들이 앉아있었는데 다 나와 같은 능력자들이
란 것이 느껴졌다.

"일단 제압해."

가장 신분이 높아 보이는 아저씨가 말했다.

나는 당황했지만 내가 누군가?

전설급 스킬의 주인!

내가 주머니속 쟁여둔 돌멩이들을 손에서 쏘아냈다.

그곳에 있는 모든 이들을 순식간에 맞추자 아무도 움직이지 못했다.

내가 맞춘 것은 혈도.

맞추기만 하면 움직일 수 없다.

"그대는 누 구지..? 정부에서 나온 건가?"

대빵같아 보이는 아저씨가 물었다.

그가 정부를 언급하는 거 보니 뭔가 낌새가 심상치 않다.

"으흠. 전 방금 각성한 수능 만점 꼬맹인데, 정부와 무슨 일 있나요?"

내가 물으니 그가 순순히 답해줬다.

"방금 각성한 애송이가 이렇게 강하다니. 나보다 강한 거 같으니 애기 해주마. 우리는 정부와 대립 중이란다. 그들은 우릴 잡아다가 능력의 원인을 조사하고 있지. 아마 지금도 우릴 잡으려고 노력 중일거란다. 그들에게 잡히면 어떻게 될지 몰라."

그의 얘기를 들으니 상황이 심상치 않았다.

그때였다.

똑똑

"택배 왔습니다."

똑똑똑똑

똑똑똑똑똑똑똑똑

"그들이 왔다."

대빵아저씨가 말했다.

"괜찮아요 지금은 제가 있잖아요."

쾅쾅

자칭 택배기사는 문을 열어 주지 않자 그가 직접 따고 왔다.
발소리가 여럿 인걸 보니 아마 그는 혼자가 아닌 듯 했다.
나는 아까 다른 능력자들에게 했던 것처럼 그들의 혈도를 제압하
고 물었다.

"혹시 기억 삭제 능력자 있나요?"

"아 저욥..."

내 말에 대답한 것은 어떤 여리여리한 여자였다.

"능력에 조건이 있나요?"

"네... 완벽히 제압돼 있어야 해요."

"음, 그럼 저랑 어디 한번 다녀오시죠. 그럼 이제부터 정부가 괴롭히는 일은 없을 겁니다."

나는 우선 이곳에 쳐들어온 정부 소속 요원들의 기억들을 지우게 냅 둔 뒤 이 일에 관련되어 있는 사람들을 하나 둘 씩 찾아 다녔다.
정부에 잡혀 있는 능력자들도 풀어주었다.
그렇게 3일이 지나 이 일에 대해 아는 이들이 하나도 없게 되었을 때 나는 능력자들을 불러모았다.

"제가 이 일에 관련되어 있는 이들의 기억을 싹 지웠습니다.
그러니 앞으로 능력자 관련 얘기가 나오지 않게 조심하는 게 좋을 겁니다. 또 어디서 이상한 짓 하시면 알죠?"

나는 그들에게 협박 아닌 협박을 하며 주의를 주었다.

"후 이제 나도 내 할 일을 해볼까?"

나는 나랑 같이 3일동안 다니며 친해진 기억 조작 능력자를 보고 말했다.

"혹시 저랑 사귀어 줄래요?"

물론 내 능력을 써서 같이 다닐 수 있었지만 그것은 너무 멋이

161

없었다.

"....네! 좋아요!"

그녀는 잠시 망설이는 듯싶었지만 허락했고 우린 분위기가 달아올랐다.

그때 갑자기 어디선가 우리를 방해하는 소리가 들렸다.

띠디디디 띠디디디

"어.... 이건 내 알람 소리...?"

그리고 나는 잠에서 깼다.

"아 시x 꿈."

이세계 소환 후 영생자가 됨

나는 영생자가 되고 싶었다.

평생을 살면서 하고싶은 것을 맘껏 하며 살고 싶었다.

그렇게 나의 장대한 꿈이 어느 날 이루어지지 않을까 하며 계획을 세워 노트에 적어 놨다.

그러던 나의 바램은 차에 치이며 끝난 줄 알았으나.

[고유능력 '영생'을 각성하였습니다.]

???

[앞으로 자연사 할 일은 없겠네요.]

이세계 소환 1일차.

나는 각성했다.

꿈이 이루어졌다.
무한히 사는 꿈.

"내 노트가 어디 있었지?"

이럴 때를 대비해 나는 항상 노트를 내 주머니에 넣고 다녔다.

영생자 사용 설명서.
1.　조심해라
2.　강해져라
3.　하고 싶은 걸 해라

첫번째 규칙은 '조심해라'이다.
영생자가 되었어도 눈먼 칼에 맞아 죽을 수 있는 것이 현실.
따라서 나는 먼저 두번째 규칙에 따라 강해지기로 했다.
강해지기 위한 방법은 간단하다.
현대에서는 각종 무술, 무기가 그에 해당했겠 지만, 이곳은 이세계.
검술과 마법 등 판타지적 요소가 넘쳐 흐르는 곳이다.
그래서 난 가장 쉽게 접할 수 있는 검술을 배우기로 하였다.
곧바로 가까운 무관으로 향했다.

164

10년째 나는 무관에 들어가 기초 검술을 배웠다.

20년째 검술을 배웠다고 다른 이들처럼 모험가가 되지 않고 첫번째 규칙을 지키기 위해 산속으로 들어가 폐관수련을 하기로 했다.

30년째 검을 휘두른 지 30년이 지났다. 아마 이정도면 이세계에서 검으론 100위 안에는 들지 않을까?

50년째 아직 나 자신이 얼마나 강해진지 확신이 들지 않아 100년만 채우기로 했다.

70년째 나이가 들어가니 깨달음이 마구 찾아온다.

100년째 드디어 나만의 검술을 완성했다. 이 정도면 이세계에서 흔히 말하는 소드마스터의

경지가 아닐까? 지금쯤 이세계에서 나보다 강한 자를 만나는 것은 하늘에 별 따기 일 것이다.

"흠 이제 내려가 볼까?"

첫번째 규칙과 두번째 규칙을 거의 완벽히 지킨 나는 이제 세번째 규칙에 따라 하고 싶은 것을 할 준비가 되었다.

그렇게 나는 산을 내려가기 시작했다.

"흑마법사야 거기서라!"

어느 깊은 산 속

제국제일검이자 제국 수호기사, 세계의 단 한 명의 그랜드 소드마스터가 9서클 흑마법사를 쫓고 있다.

그랜드 소드마스터의 추격은 벌써 3일 밤낮으로 지속되고 있지만,

초월적인 체력 덕분에 온 숲을 헤집고 다니고 있었다.

"감히 제국안에서 도망칠 수 있을 소냐!!"

그랜드 소드마스터가 검기를 마구 발산하며 말했다.
그렇게 눈 없이 날라간 검기에 흑마법사가 아닌 누군가 맞은 걸
그는 느꼈지만 신경 쓸 틈이 없었다.

"하. 나름 강해졌다고 생각했는데, 우물 안 개구리였군."

방금 누군가 날린 검기에 정면으로 부딪쳐 온몸에 멍이 들었다.
아주 소름 돋았지.

"방어에 전력을 기울여서 망정이지 아니면 내려오는 길에 죽을
뻔했어."
이런 공격을 쉬지도 않고 쏴 대는 사람이 바로 근처에 있었 다니,
한 100년만 더 수련하다 나와야겠다.
그렇게 나는 다시 수련에 돌입했다.

깨달음이란 자고로 불시에 찾아오는 법.
당연하게도 오래 사는 이는 깨달음이 더 많은 법이다.
또한 나는 다른 세계에서 온 주인공 격의 인물.
따라서 나의 성장은 매우 빨랐다.

"이 정도면 됐겠지."

기억하기론 100년전 그 남자보다 체감상 10배는 더 강해진 듯한데.

이정도면 충분하겠다 생각한 나는 산을 내려갔다.

산을 내려간 뒤 곧바로 찾고 싶던 자는 저번에 숲에서 검기를 막 날리던 사내다.

그는 인간을 거의 초월한 자이기 때문에 그 이후 100년이 흐른 지금도 충분이 살아 있을 가능성이 높았다.

내가 이 곳 이세계에 와서 본 가장 강한 사내이기에 그에게 물어 봐 나의 상대적 강함을 측정할 수 있지 않을까 했다.

그래서 저번에 본 그의 신체 리듬을 찾아 길을 나섰다.

한참을 걷다 보니 그가 있는 근처까지 오게 되었다.

그는 이세계의 죽음의 땅이라 부르는 마경에 있었다.

마경은 인간과 다른 마족이 침범한 땅으로 일반은들은 살 수 없는 땅이었다.

아마 그는 아무도 없는 마경에서 수련을 하고 있었을 것이다.

내가 인기척을 내지 않고 그에게 10m이내까지 접근했을 때였다.

"그대는 누구지?"

그가 곧바로 나를 쳐다보며 말했다.

"후후 100년전에 너의 검기를 맞고 죽을 뻔했던 놈이다!"

"복수하러 온 거이냐?"

"음, 이 공격을 한번 받으면 생각해보지."

말하고 나서 나는 여러 개의 검기를 날렸다.
그에게 맞은 검기는 하나 지만 100년간 이자가 있지 않겠는가?

"흐읍!"

그는 힘겨워하면서도 나의 공격을 모두 방어해냈다.
내가 100년간 훈련을 할 동안 마냥 논 것은 아닌 모양이었다.

"이로서 그대와 나의 은원은 모두 끝이다."

"그런 가...?"

그는 의아해하면서 물었지만 나에겐 살생의 취미는 없었다.

"그대의 감함은 어느정도 지?"

200년간 수련만 한 나의 강함의 척도를 물어보기 위한 질문이었
다.

"그대가 나타나지 전까진 아마 가장 강했을 것이다."

대답을 들은 나는 안심하며 그 자리를 떴다.

"하 이제 뭘 해야지…."

나의 '영생자 사용 설명서'에 따르면 규칙 3번째가 '하고 싶은 것을 하라' 였지만 막상 강해지니 하고 싶은 것이 떠오르지 않았다.
그래서 나는 조금 더 강해지기로 했다.

"이번엔 마법을 배워볼까?"

수련을 새로 시작한지 1300년 나의 무력은 하늘에 닿았고 하고 싶었던 것이 생각났다.

"아 맞다. 드라마 보는 걸 까먹었다. 오징어땅콩 게임 시즌2!"

그렇게 나는 새로운 목표를 정하자 마자 실행에 옮기려 했다.
하지만 차원을 넘나드는 것은 신의 영역.
지구로 가는 것은 쉽지 않았다.
그래서 신을 찾으러 떠났다.
이세계에는 여러 종들이 있는데 그중 가장 강한 것은 용이다.
또한 용은 인간에 비해 수명이 엄청 긴 만큼 지식 또한 엄청 날 것이다.
그래서 용을 찾아 신에 대해 물어보기로 했다.
"으흠, 강한 에너지 반응이 느껴지는 대로… 오 바로 근처."

용의 기운을 느끼자 나는 바로 그곳으로 날아갔다.
멀리서 사람들 사이에 섞여 있는 용을 발견했다.
용은 폴리모프 마법을 사용해 사람으로 보이게 한 것 같았다.

그리고 순식간에 그 용을 낚아챘다.

너무 빨라 아무도 눈치채지 못했을 것이다.

용을 데리고 내가 원래 있던 곳으로 오니 용은 겁에 질려 벌벌 떨고 있었다.

강자에게 겁을 느끼는 것은 생리적 반응과도 같은 당연한 반응이었다.

그러다 갑자기 용이 번쩍이는 표정과 함께 미소를 짓더니 말했다.

"안녕하십니까! 저는 불의 용 3743살 카이져입니다."

방금까지 벌벌 떨고 있던 용이 갑자기 자기 소개를 하니 살짝 당황스러웠지만 나는 내가 궁금할 것을 물었다.

"너는 신을 만나는 방법을 아냐?"

내가 묻자 용이 대답했다.

"신을 만나는 방법은 제 전문이죠. 용은 고대부터 신을 모시는 종이었습니다. 제가 신께 모시도록 하겠습니다."

아마 그는 내가 신보다 강해 보였는지 나에게 아부를 떨며 나를 극진히 대했다.

"제 등에 타시죠. 헤헤."

나는 그의 등에 타고 다시 일정을 계속했다.

한참을 타고 하늘위로 쭉 올라가니 이질적인 상황이 보였다.

하늘이지만 하늘이 아니었다.
그리고 그 앞에서 용이 서서 주문을 외웠다.

"&^%$#$%^&*()^$#"

그러자 하늘이었던 것에 구멍이 뚫리고 우리는 그 통로로 이동했다.
용은 나를 태워가면서 계속 아부를 떨다가 거의 도착한 듯하니 나에게 물었다.

"혹시 저를 데리고 다녀 주실 수 있을까요?"

몇 천년을 사는 용은 아부, 눈치 만렙이었고 나는 그것을 허락했다.

"귀여워 보이니 내가 데리고 다녀주지."

나는 신의 영역으로 보이는 곳까지 왔다.
그러다 갑자기 용을 다그치는 소리가 천둥처럼 울렸다.

"네가 감히 날 배신하다니!!"

스슥

용은 그 소리를 들으니 괴로워하여 내가 그 목소리에 담긴 힘을 칼로 끊어냈다.

"그대는 뭐지...? 불량품 용사…?"

"오호 나에게 숨겨진 비밀이?"

나에게 모욕적인 말을 뱉은 여신이었지만 크게 기분이 나쁘진 않았다.

"어떻게 용사를 소환하며 딸려온 쓰레기가 이렇게 강해지다니!"

여신은 나의 강함에 당황한듯 보였다.

"그건 잘 모르겠고 지구로 돌아가는 차원문이나 여시지."

"그럴 수 없다! 차원문을 지키는 것은 나의 숙명!"

"한 대 맞고 열래? 그냥 열래?"

내가 칼에 손을 대니 여신의 태도는 순식간에 바뀌었다.

"하지만 이번만큼 예외로 두도록 하지."

"아 그리고 저 용도 데려간다."

"그럴 순 없…지만 한명이나 두명이나…"

그렇게 설득(?)을 끝낸 나는 용과 함께 차원문을 통과했다.

대한민국 서울 커다란 집.
집안에는 집채만큼 커다란 tv가 놓여있었다.

"야야 저거 재밌지. 저거 보려고 내가 다시 여기 왔다니까!"

"맞습니다. 완전 개꿀잼이네요. 여기 온건 제 최고의 선택이에요."

그렇게 용과 나는 집 안에 박혀 드라마 시청을 계속 했다.

용의 신전 안.

아기 용 카이져는 예언구를 통해 예언을 한가지 받고 있다.
어린 용의 미래를 봐주는 것은 용들의 오랜 전통이었다.

"카이져, 예언구에 언젠간 귀인이 한번 찾아오면 극심히 대우하라고 써 있군. 이제 가봐라. 자 그럼 다음 용."

"히히 귀인이 빨리 찾아오면 좋겠다."
귀인을 받을 준비가 된 아기 카이져였다.